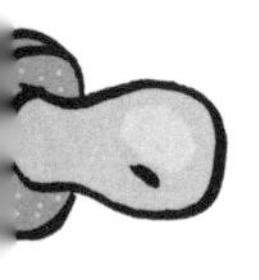

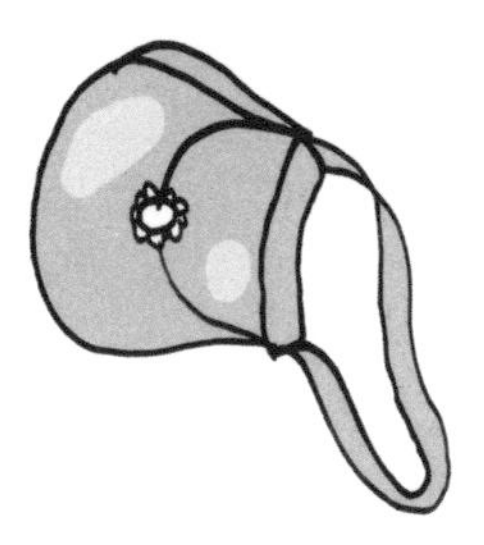

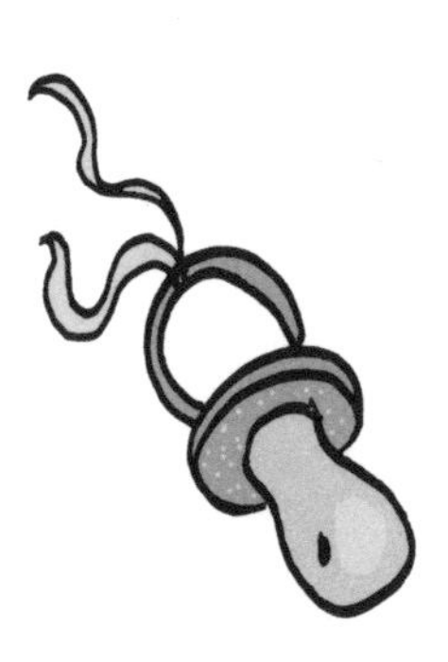

Cola

Om te zoenen

www.babysitbabes.nl
www.elsruiters.nl
www.ploegsma.nl

Els Ruiters

Om te zoenen

Uitgeverij Ploegsma Amsterdam

ISBN 978 90 216 6620 4 / NUR 283

Omslagontwerp: Annemieke Groenhuijzen

Uitgeverij Ploegsma drukt haar boeken op papier met het FSC-keurmerk. Zo helpen we waardevolle oerbossen te behouden.

5

'Pap, ik ga wel alleen.' Aïsha trok snel haar jas aan. Maar haar vader knoopte zijn jas dicht en schudde zijn hoofd.

'Nee,' zei hij. 'Dat is niet vertrouwd.'

Ze stonden in het schemerige halletje en Aïsha zag zichzelf in de spiegel die achter haar vader aan de muur hing. Ze trok de rits van haar jas verder dicht, sloeg haar sjaal om en trok haar muts over haar oren. Een pluk dik zwart haar piepte eronderuit. In het schemerige licht zag ze haar eigen donkere ogen fonkelen van irritatie.

'Papa, het regent alleen maar. Het is nog niet donker en ik kan door het gangetje. Dan kan ik toch best alleen gaan?'

'We gaan niet door het gangetje, we lopen even om.'

'Maar...'

'Aïsha, ik ga met je mee, of je gaat helemaal niet,' zei haar vader met een vriendelijke lach, maar vastbesloten.

Aïsha's opa kwam in de deuropening staan en hield Aïsha met zijn kleine donkere ogen in de gaten. Hij bromde iets tegen haar vader wat ze niet kon verstaan. Maar dat hoefde ook niet, want ze begreep zo ook wel waar het over ging. Haar opa woonde bij hen in huis en hij bemoeide zich altijd met de opvoeding van zijn enige kleinkind. Aïsha kon hem nauwelijks verstaan. Hij sprak Turks in een vreselijk dialect waar ze niets van bakte en alleen af en toe, als hij langzaam en duidelijk tegen haar praatte, begreep ze hem. Een beetje.

Ik wou, dacht Aïsha opstandig terwijl ze naar haar opa

glimlachte, dat je opzoutte. Ga ergens wonen waar ik geen last van je heb, ouwe. Bemoei je toch niet altijd met ons. Als jij er niet was, zou ik van pap best alleen over straat mogen.

'Dag opa,' zei ze beleefd in het Turks. 'Tot straks.'

Snel stapten ze naar buiten. Aïsha gaf haar vader een arm om zo dicht mogelijk onder de paraplu te lopen.

'Waarom zeg je er niets van, pap?' vroeg ze. 'Ik ga alleen maar naar Nikki. En haar moeder is hartstikke aardig en haar stiefvader ook. Denkt hij soms dat ik iets met Nikki's broer doe of zo?'

'Ssst, bloempje, dat moet je zo niet zeggen,' suste haar vader haar. 'Opa bedoelt het goed. Hij wil je gewoon beschermen.'

'Ik heb geen bescherming nodig,' zei Aïsha een beetje korzelig. 'Ik kan me prima redden. Beter dan hij. Hij spreekt niet eens Nederlands.'

'Aïsha, zo is het genoeg,' zei haar vader nadrukkelijk.

'Jij vindt toch ook dat...'

'Geen woord meer.'

Terwijl Aïsha zwijgend en een beetje mokkend naast haar vader liep, dacht ze na. Het was altijd hetzelfde liedje. Als er ook maar het minste of geringste teken was dat er een jongen of een man in hetzelfde huis kón zijn, begon opa al te protesteren. Eén keer bracht hij Aïsha naar Nikki en deed Nikki's broer de deur open. De ruzie erna was niet van de lucht, ook al verdedigde haar moeder haar fel. Aïsha's vader hield zich stil en had de stevige woordenwisseling somber aangekeken. Het was een schat van een man, haar vader, maar hij durfde nooit tegen zijn eigen vader in te gaan. En eerlijk was eerlijk: Aïsha was zelf ook altijd erg braaf en ingehouden als haar opa erbij was, terwijl ze inwendig soms kookte en voor de spiegel hele felle gesprekken met hem voerde die ze nooit in het echt zou durven houden. Soms schaamde ze zich voor haar gedachten en af en toe schrok ze wel eens van zichzelf. Totdat opa weer zo bemoeierig begon te doen – dan laaiden die gedachten op als een vuurtje waar een scheut spiritus op gegooid werd.

'Ik zag dat je je ingeschreven had bij Super de Boer,' zei haar vader opeens. 'Moet je daar geen zestien voor zijn?'

'Om aan de kassa te zitten wel. Maar vakkenvullen mag al als je vijftien bent. Ik heb me samen met Lisa ingeschreven, misschien kunnen we wel tegelijk beginnen. Ik wil wat bijverdienen, papa,' zei Aïsha. 'Zodat ik zelf ook eens wat leuke dingen kan kopen.'

'Maar je krijgt toch genoeg van ons? Of heb je meer zakgeld nodig?'

'Daar gaat het niet om. Ik wil zélf geld verdienen en niet altijd jullie om geld moeten vragen.'

Haar vader kneep zijn ogen een beetje dicht toen een auto voorbijreed die hen verblindde met zijn koplampen. 'Dat geeft toch niets? Je kunt van ons alles krijgen wat je nodig hebt.'

'Dat weet ik wel, maar ik wil het zelf kunnen opbrengen,' hield Aïsha vol terwijl ze over een grote plas heen stapte.

'Ik weet niet of je opa het er wel mee eens zal zijn...' begon haar vader voorzichtig. 'Tenzij je een hoofddoekje draagt, dat zou al een hoop geruzie schelen.'

'Páhap!' Aïsha zei maar niets meer. Anders kwam er weer zo'n eindeloze discussie over hoofdbedekking. Of over werken. Over jongens. Over mannen. Ze luisterde naar het getik van de regen op de paraplu. Het klonk gezellig, een beetje troostend zelfs. Regen viel, of je het nou wilde of niet, op iedereen. Regen maakte geen uitzonderingen voor jongens of meisjes, opa's of kleindochters, Turken of Nederlanders.

'Ik ben er.'

De deur vloog al open voordat ze op de bel kon drukken.

'Hoi!' riep Nikki uitgelaten. 'Hallo, meneer Yilniz!'

'Dag, pap.' Vlug stapte Aïsha naar binnen, voordat haar vader zou blijven plakken. Nikki's hond Tip blafte en sprong om haar heen. Ze aaide hem, hing haar jas op en mopperde: 'Wat een gedoe elke keer voor ik weg mag. Ben ik de eerste?' Ze zag geen bekende jassen aan de kapstok hangen.

'Yep.' Alsof het zo afgesproken was, kwam er een gehuil van boven. 'Ah, Kim is wakker. Ze moet zo een fles,' zei Nikki en ze rende de trap op. 'Ga maar vast naar binnen. Ik kom zo.'

De huiskamer was totaal anders dan bij Aïsha thuis: strakke zwarte meubels, dure designlampen met veel staal en een glanzende antracietkleurige marmeren vloer. Er waren geen gordijnen en ook geen vloerkleden of kussentjes. Aïsha vond het wel mooi, maar ook kil. Zij had liever de warmte van kleden op de grond.

Er werd gebeld en Nikki riep van boven: 'Aïsh, doe jij even open? Dat is Moniek!'

Moniek kwam binnen. Aïsha zag meteen dat het niet zo goed met haar ging, want ze had haar kruk bij zich en steunde er zwaar op.

'Hoi, ben ik de laatste?' vroeg Moniek hijgend en ze wurmde zich uit haar jas. Aïsha wist dat Moniek niet geholpen wilde worden, deed net of ze niets merkte en liet haar aanmodderen.

'Nee, Lisa is er nog niet,' antwoordde ze.

Daar kwam Nikki de trap af met een klein meisje op haar arm.

'Ach...' zuchtte Aïsha verrukt, 'wat is ze toch een schatje om te zien.'

Kim, het schatje in kwestie, keek met grote ogen naar de twee en stak haar duim in haar mond.

'Ze heeft honger, hè dropje?' zei Nikki en ze liep door naar binnen.

Moniek en Aïsha gingen zitten. Nikki zette haar kleine zusje bij Moniek op schoot en liep naar de keuken om de fles pap klaar te maken. Met een pijnlijk gezicht probeerde Moniek een goede houding te vinden, totdat Aïsha het niet meer kon aanzien en zonder iets te vragen Kim van haar schoot plukte.

'Mo?' zei Aïsha zacht.

Moniek schudde haar hoofd. 'Het lukt wel, maar ik kan haar nu even niet op schoot hebben.' Het verbeten trekje bij haar mondhoek ontging Aïsha niet. Ze wist dat Moniek nog eerder zou omvallen dan toegeven dat ze een probleem had met haar slechte been. Hoe minder ze het erover hadden, hoe beter, en dus zette ze Kim op haar knie en speelde paardje met haar. Tip ging bij Monieks voeten zitten en Moniek kriebelde hem achter zijn oren.

'Lisa zou toch ook komen?' vroeg ze.

'Yep, maar ze moet wachten tot haar pa thuis is, anders zijn de jongens alleen!' riep Nikki vanuit de keuken. 'Ik had haar net aan lijn.'

'Ik was er vorige week,' vertelde Moniek, 'één uurtje maar en ik werd al hartstikke gek van die twee. Dat Lisa nog niet helemaal doorgedraaid is...!'

Aïsha lachte. Als enig kind kon ze zich niet voorstellen hoe het was om twee broertjes te hebben, laat staan hoe het moest zijn om er gek van te worden.

Nikki, die terugkwam met de fles en een slab, lachte ook. 'Ik vind het leuk om op te passen,' zei ze. 'Maar ja, Kim is dan ook wel een heel lief kindje, hè puk?' Ze lachte naar het kleine meisje op Aïsha's schoot, dat meteen teruglachte.

Stiekem was Aïsha wel een piepklein beetje jaloers op Nikki. Nikki's ouders waren gescheiden en haar moeder was hertrouwd. Nikki noemde de nieuwe man gewoon Kees, en hij was hartstikke aardig. En ze had nog een klein zusje erbij ook. Trouwens, de broer van Nikki mocht er ook wezen. Viggo heette hij, en hij zag Aïsha niet eens staan. Maar zij vond hem ontzettend cool en erg knap. Nikki had dat niet in de gaten.

Daar begreep Aïsha niks van. Als je broer er zó goed uitzag, dan wist je dat toch? Ze zag hem vaak op school, omringd door vrienden en vriendinnen, klasgenoten met wie hij optrok, of als hij op het schoolplein een potje basketbal speelde. Er hingen altijd meisjes om hem heen en als Nikki dát niet zag, was ze ofwel stekeblind ofwel totaal niet geïnteresseerd in haar broer. Of, dacht Aïsha wel eens, misschien is dat gewoon anders als het je eigen broer is.

Terwijl Aïsha de kleine de fles gaf, rommelde Nikki in de keuken met glazen en water voor een pot thee. Plotseling gaf ze een kreet. 'Getver! Nou scheurt het theezakje!' Er volgde wat hartgrondig gevloek. Toen de bel ging, riep Nikki: 'Dat zal Lisa zijn. Doen jullie even open? Ik sta hier de prut van de vloer te vegen.'

Aïsha keek tussen haar oogharen door naar Moniek, die haar kruk pakte en moeizaam overeind kwam. Het lag op het puntje van haar tong om iets te zeggen, maar bij het zien van de strakke lijnen in het gezicht van haar vriendin slikte ze haar woorden in. Als Moniek hulp nodig had, moest ze er zelf om vragen. Dat was de afspraak.

'Hallo!' riep Lisa opgewekt toen ze binnenkwam, op de voet gevolgd door Moniek. 'Dag, Kimmetje!' Haar eerste oppasklus had ze al weer achter de rug en nadat het eerst een compleet drama leek te gaan worden, was het uiteindelijk allemaal heel anders verlopen en had ze alweer een nieuwe afspraak om te komen oppassen. En Aïsha zag nog iets aan haar, maar ze kon niet precies zeggen wat het was. Misschien was Lisa wel gewoon goedgehumeurd omdat ze nu eindelijk ook eens wat geld had.

'Zo, dat is opgeruimd. Ha Lisa,' zei Nikki, die met een dienblad vol de kamer binnenkwam.

Toen iedereen zat, voorzien was van een dampend glas thee en Nikki de schaal met gevulde koeken rond liet gaan, pakte

Moniek haar agenda uit haar tas, sloeg hem open en zei: 'Ik heb nieuws.'

'Nieuws?'

'Babysit Babe-nieuws.' Moniek wist het wel te brengen. Ze laste een korte stilte in en keek de anderen aan. 'Alweer een klant.'

'Wat?' vroeg Nikki verbaasd. 'Nou al?'

'Wie dan?' Lisa keek haar nieuwsgierig aan.

'Het was heel toevallig,' vertelde Moniek. 'Ik weet het net pas hoor, anders had ik jullie natuurlijk allang gebeld. Ik moest vanmiddag even met de bus naar de bieb en toen ik naar huis ging, werd ik gebeld door een mevrouw die ik pasgeleden zag in de Albert Heijn. Weten jullie nog? Dat heb ik toch verteld, die mevrouw met dat meisje in dat winkelwagentje die zei dat ze het zo'n goed idee vond?'

Aïsha knikte. Toen ze met z'n vieren een paar weken geleden op het idee van de Babysit Babes waren gekomen, hadden ze er meteen werk van gemaakt. Eerst hadden Lisa, Moniek, Nikki en Aïsha een lijst met slimme tips en ideetjes samengesteld, een goeie naam verzonnen en daarna een keurige reclamebrief gemaakt die Aïsha voorzien had van een logo. Moniek had aangeboden om als contactpersoon te dienen. Zij hield bij wie er wanneer een oppas nodig had.

'En die mevrouw belde?' raadde Aïsha. Ze ging een beetje verzitten omdat haar arm begon te slapen waar Kims gewicht op drukte. Nikki's zusje was warm. Het holletje van Aïsha's arm voelde een beetje zweterig aan. Kim keek haar over het randje van de fles aan zonder met haar ogen te knipperen.

'Ja, precies,' knikte Moniek. Ze brak een stukje van haar koekje en vergat vervolgens om dat op te eten. 'Ze vroeg om informatie omdat ze onze folder niet meer kon vinden, maar ze had het nummer al wel in haar mobieltje gezet. Dus deed ik mijn verhaal en ik herhaalde ook nog eens wat het kost en zo.

Toen vroeg ze of ik volgende week donderdag kon komen.'

'Donderdag? Dan moet je toch wiskundebijles geven?' zei Nikki meteen.

'Jawel, maar dat is na schooltijd, dus dat lukt wel. Ze heten Henselbach en hebben een dochtertje. Dat was dat meisje in dat winkelwagentje.'

Aïsha kon het niet helpen dat ze een steek van teleurstelling voelde. Ze had zo gehoopt op een oppasadres, en de anderen hadden bijna meteen beet. Lisa had via de Babysit Babes al direct een oppaskindje gevonden, Nikki paste vaak op haar zusje en kreeg daar gewoon voor betaald en nu had Moniek ook al een adres... Alleen Aïsha nog niet. Een beetje beteuterd boog ze zich wat verder over Kim heen en probeerde niet te laten merken dat ze baalde. De fles was bijna leeg en Kim lag slaperig aan de speen te sabbelen. Ze was moe. Aïsha vond het zo vertederend, die blonde zachte krulletjes, de rode wangetjes, die ontspannen vingertjes en de zachte knorgeluidjes die ze maakte – wat was het toch een schatje! Opeens wilde Aïsha heel graag oppassen. Het ging niet alleen om het geld. Natuurlijk, dat was leuk meegenomen. Maar zo'n kindje, net zoals Kim, dat was toch hartstikke lief...? Voorzichtig trok Aïsha de fles los en zette hem op tafel. Kim bleef warm en rozig in het kommetje van haar arm liggen.

'Maar dat is nog niet alles,' ging Moniek verder. 'Ik heb nóg een adres. Nikki, Aïsh? Wie wil?'

'Wat? Heb je twee oppasadressen? Hoe heb je dat voor elkaar gekregen?' vroeg Aïsha verrast.

Moniek vertelde over het busritje van die middag. Ze had nog maar nauwelijks opgehangen en haar telefoon in haar tas gestopt toen een man die voor haar zat, zich naar haar omdraaide.

'Zeg, mag ik iets vragen? Ik hoorde je iets zeggen over oppassen en kleine kinderen en zo, als je me niet kwalijk neemt dat ik naar je luisterde. Ik zoek óók een betrouwbaar adres en...' Heel abrupt, net zo plots als hij was begonnen, was hij gestopt en een beetje ongemakkelijk had hij zijn hand over de rugleuning laten gaan. 'Sorry... Ik wilde je niet afluisteren. Misschien heb ik het helemaal fout begrepen en...'

'O nee, dat geeft niet,' had Moniek snel gezegd. 'We kunnen nog wel oppasadressen gebruiken, als het maar niet al te ver uit de buurt is. Hoeveel kinderen heeft u en hoe oud zijn ze?'

'Wauw,' zei Nikki, danig onder de indruk. 'Heb je dat gezegd? Dat klinkt goed. Erg professioneel.'

Moniek lachte. 'Hij heet Philip Rondhout en heeft twee kinderen, Lieke en Ted. Ze zijn één en drie.'

Ze pakte haar agenda en haalde er een briefje met gegevens uit. 'Ik heb gezegd dat óf Nikki óf Aïsha hem zal bellen om een afspraak te maken. Hij heeft volgende week dinsdag een oppas nodig.'

'Dan kan ik niet,' zei Nikki meteen en tegelijkertijd zei Aïsha: 'Dan kan ik wel.'

Ze lachten allemaal. 'Jij moet het sowieso maar doen, Aïsh,' vond Nikki. 'Ik heb altijd Kim om op te passen en jij hebt nog geen adres. Trouwens...' Ze schraapte met een glazen roerstaafje over de suiker op de bodem van haar theeglas, 'ik heb óók beet. Pa heeft reclame lopen maken en ik heb volgende week zaterdag een klus.'

'Echt?' De anderen keken opgetogen naar Nikki.

'Yep. Goed, hè?'

'Bij wie dan?' wilde Lisa weten. 'Kennen wij die mensen ook?'

'Nee, dat denk ik niet. Het is in Veldhoven, bij pap in de straat.'

O, ja. Nikki's ouders waren gescheiden en af en toe was het niet helemaal duidelijk of Nikki met 'thuis' nou dit huis in

Eindhoven bedoelde, of dat van haar vader in Veldhoven. Aïsha streelde het fluweelzachte handje van Kim. Die sliep bijna. 'Hoe moet je daar dan komen? Moeten die mensen jou helemaal naar huis brengen vanuit Veldhoven? Hoeveel kilometer is dat?'

Ook Lisa zag problemen. 'Zou je dat wel doen?' vroeg ze. 'We willen het toch binnen de wijk houden? Want ik weet niet of mijn ouders het wel zo'n fijn idee vinden als ik helemaal naar Veldhoven moet omdat ik jou moet vervangen als je een keer niet kunt.'

'Relax, Lisa!' Nikki lachte en schudde haar hoofd. 'Jullie snappen het niet, girlz. Luister en huiver. Mijn pa woont in Veldhoven. Ja? Iedereen begrijpt het nog? Eens in de twee weken ben ik in het weekend bij hem. Ja? Nog steeds geen onduidelijkheden? Als ik daar ben, ga ik oppassen bij een gezin dat bij hem in de straat woont. Ja? Zijn we nog steeds bij de les? En rara hoe ver is het van dat oppasgezin naar het huis van mijn pa? Wel vijftig meter. Misschien honderd. Dus die mensen hoeven mij helemaal niet naar huis te brengen, want ik hoef alleen maar de straat uit te lopen en dan ben ik er al. Niet hier in Eindhoven bij mam en Kees, maar in Veldhoven bij mijn pa en zijn suffe vriendin. Oké? Alles nu duidelijk? Geen verdere vragen meer uit het publiek?'

Iedereen schoot in de lach en Aïsha knikte braaf. 'Geen vragen, alles zo klaar als een klontje.'

'Goed zo.' Nikki stak haar handen omhoog. 'Zien jullie? Simpel als chocola. Over chocola gesproken, dáár heb ik nou eens zin in. Even zoeken, er moet nog wel ergens wat liggen.' Ze sprong overeind en dook de trapkast in om even later weer met een reep in haar hand tevoorschijn te komen. 'Dus Aïsh, ik zou zeggen, bel die man en maak die afspraak. Dan zijn we allemaal onder de pannen!'

Aïsha knikte blij. Wat goed zeg! Net had ze nog geprobeerd

om niets te laten merken van haar teleurstelling en nu had zij ook een adres. Als die man het goedvond, natuurlijk.

Nikki brak de chocoladereep in stukjes, legde die op het bord en stak er zelf meteen een in haar mond. 'Zeg, ik wilde nog wat vragen. Vrijdag komt pa mij halen, maar mam en Kees moeten weg en dan is Kim alleen thuis. Drie keer raden: deze Babysit Babe heeft zelf een oppas nodig.' Ze grijnsde breed en stak een stuk chocola in haar mond. 'Kan een van jullie?'

'Ik wil wel, hoor,' zei Moniek meteen. 'Kan Viggo ook niet, dan?'

'Die gaat ook mee naar pap,' zei Nikki hoofdschuddend. Meestal gingen ze samen naar Nikki's vader, maar het kwam ook wel eens voor dat Viggo niet meeging omdat hij moest basketballen of moest coachen bij een jeugdteam, en ook Nikki sloeg wel eens een zaterdag over als ze een voetbaltoernooi had.

'Is het goed dat ik ook kom?' vroeg Lisa. 'Ik heb wel afgesproken om met mijn moeder naar de stad te gaan, maar dan kom ik daarna. Aïsh, kom ook, dat is gezellig. Zijn we met z'n drietjes.'

'Als het van thuis mag,' knikte Aïsha en ze knabbelde aan een hoekje van de chocola.

'Slaapt Kim?' vroeg Nikki.

Aïsha knikte weer. 'Als een roos, zo te zien.'

'Dan breng ik haar maar naar bed. Of eigenlijk moet jij dat doen. Jij hebt de minste ervaring van ons allemaal en met wat je te wachten staat, moet je maar gauw wat extra oefenen!' Nikki liep naar de deur en wachtte totdat Aïsha voorzichtig overeind was gekomen met de slapende Kim in haar armen.

'Ze moet eigenlijk nog een schone luier,' legde Nikki uit, 'maar als ze zo lekker slaapt vind ik dat zonde. Ze wordt er altijd wakker van omdat ze dan meteen kouwe billen krijgt.'

Aïsha lachte. 'Kouwe billen?'

'Ja, hoe zou jij het vinden om met je natte achterwerk opeens bloot te moeten? Dan ben je toch ook meteen klaarwakker?'

Opeens kwam Aïsha's opa in haar gedachten. De oude man zou woedend worden als hij dit hoorde. Soms vermoedde Aïsha dat hij best Nederlands begreep en alleen maar net deed alsof hij er geen woord van verstond. Ze wist bijna zeker dat hij haar op het matje zou roepen als hij wist dat het ging over blote billen, ook al waren ze van een meisjesbaby die een schone luier om moest. Ze giechelde.

'Is het hier?' Aïsha's moeder keek naar de lichten in de flat waar ze voor stonden. 'Welk nummer?'

Aïsha telde de etages en wees naar boven. 'Daar, waar die oranje gordijnen hangen, daar is het denk ik. Nummer 314.'

'Ik loop even met je mee,' zei Aïsha's moeder kordaat en ze stapte uit.

'Dat hoeft niet, mam en...' begon Aïsha al, maar haar moeder deed het portier van de auto op slot en trok haar jas wat dichter om zich heen.

'Maak je maar geen zorgen,' onderbrak haar moeder haar. 'Ik wil gewoon even zien dat je veilig binnenkomt.'

'Wat zei opa nou?' vroeg Aïsha.

Haar moeder schudde haar hoofd. 'Maak je daar maar niet druk om, ik neem opa wel voor mijn rekening. Zorg jij er nu maar voor dat je het goed doet en dat ze tevreden zijn. Dat is nu het belangrijkste.'

De deur van de flat stond een stukje open en naast elkaar liepen ze de betonnen trappen op. Het trappenhuis rook naar plas en gekookte kool. Op de muren stonden met vervaagde rode letters onduidelijke teksten gekalkt. Aïsha keek er heel even naar, toen verlegde ze haar aandacht weer vlug naar haar laarzen. Het geluid van haar hakjes echode tussen de muren. In haar hart was ze blij dat haar moeder erbij was. Die was voor niks of niemand bang. Ze zei dat dat kwam doordat ze tandarts was. In de stoel waren zelfs de grootste bullebakken kleine jongetjes, als het erop aankwam. Haar moeder had mensenkennis gekregen door hun gebitten te bestuderen, dacht Aïsha wel eens.

Wat een troosteloze woonplek, ging het door haar heen toen ze stopten voor een verschoten blauwgeverfde deur. Vlug keek ze opzij naar haar moeder, maar van haar gezicht was niets af te lezen. Als ze al vond dat het er armoedig uitzag, hield ze dat voor zich. Aïsha wist zeker dat opa haar meteen mee terug de trappen af zou sleuren als hij dit zag: er was thuis al genoeg gezeur en gemopper geweest toen ze vertelde dat ze ging oppassen. Binnen stond de tv of de radio hard en Aïsha moest twee keer bellen voordat de deur openging. De man die opendeed was zich blijkbaar net aan het aankleden, want hij propte zijn overhemd in zijn broek en had een stropdas los over de kraag hangen. Hij zag er een beetje verhit uit, alsof alles tegelijk kwam en hij te weinig tijd had om het allemaal te doen.

'Hallo,' zei hij en hij gebaarde dat ze binnen moesten komen terwijl hij gelijktijdig probeerde om zijn haar plat te strijken. 'Neem me niet kwalijk dat ik nog niet klaar ben. De telefoon ging en Lieke kreeg een poepbroek en Ted viel en begon te huilen en ik moest me ook nog omkleden...' Zijn woorden vielen uit zijn mond als een blokkentoren die omgegooid wordt.

'Kom binnen. Aïsha, hè?' Hij glimlachte breed, een beetje onhandig maar op een vriendelijke manier, en Aïsha bedacht dat hij waarschijnlijk erg aardig was. Tegen haar moeder zei hij: 'Fijn dat u haar heeft gebracht. Ik ben rond half elf weer terug en dan breng ik haar naar huis.' Hij gaf Aïsha's moeder een hand, die daarna een stapje achteruit zette en hen beiden gedag zei.

'Een fijne avond,' zei ze met een knikje en na een knipoogje voor Aïsha liep ze de trappen weer af.

Aïsha zag haar kleurige sjaal nog even in het grauwe trappenhuis flitsen en toen was ze weg. Opeens was ze een beetje zenuwachtig. Was mevrouw Rondhout er niet? Was ze misschien al weg of nog op haar werk of zo? Nu was ze wél alleen thuis met die meneer... En de kinderen, natuurlijk.

'Kon je het goed vinden?' vroeg de man terwijl hij de knoopjes van zijn manchetten dichtmaakte.

Aïsha knikte.

'Zeg maar Philip,' zei hij. Toen liep hij naar de woonkamer, waar een jongetje met een betraand gezicht voor de televisie zat en een klein meisje in de box door de spijltjes meekeek naar Sesamstraat. Het geluid stond snoeihard. Philip leek het niet te merken.

'Dat is Lieke, en dit is Ted. Gaat het weer een beetje?' vroeg hij aan zijn zoontje en hij streelde hem over zijn haren. Op Teds voorhoofd zat een rode plek waar hij zich zo te zien nog maar heel kort geleden gestoten had. 'Hij viel tegen de tafel,' legde Philip uit terwijl het jongetje probeerde om langs zijn vader heen naar de tv te kijken, die hij veel interessanter vond.

'Ted, dit is Aïsha, ze blijft vanavond hier,' legde Philip uit.

Ted keek nauwelijks op. Zijn oogjes leken wel te zijn vastgelijmd aan het beeld.

Philip glimlachte afwezig en gaf Aïsha daarna een snelle rondleiding door de flat. Overal, maar dan ook overal stonden en lagen spullen: kleren, speelgoed, kranten, tijdschriften, een kinderzitje, een buggy waar twee rugzakjes in lagen, boodschappen, onuitgepakte tassen, snoeppapiertjes... Op de overvolle tafel stonden ergens ook nog twee bordjes, een mok en een glas, een plastic tuitbeker en een stapeltje vuile schaaltjes en een potje Olvarit met het lepeltje er nog in – Aïsha keek haar ogen uit. Hoe kon iemand leven in zo'n bende? Maar Philip leek zich er niet van bewust te zijn. Hij stapte over een maxiverpakking Pampers heen die zowat voor de deur van de kinderslaapkamer stond.

'Ted en Lieke slapen nu nog bij elkaar,' zei hij. 'Ik ga mijn studeerkamer verbouwen zodat Ted daar in kan als hij wat groter is.'

'Hoe laat moet ik de kinderen naar bed brengen?' vroeg Aïsha.

Philip haalde zijn schouders op. 'Dat maakt niet zo veel uit. Als je merkt dat ze moe worden, breng je ze naar bed en dan vallen ze zo in slaap.'

'Heeft u daar geen vaste tijd voor?' vroeg Aïsha een beetje verbaasd.

Philip schudde zijn hoofd en trok een kastdeur open. 'Nee, dat werkt niet, vind ik. Ga jij elke dag op precies dezelfde tijd naar bed?'

Ja, ik wel, dacht Aïsha, *pap en mam zeggen gewoon dat ik naar bed moet.* Maar ze gaf geen antwoord en glimlachte beleefd. Niet iedereen was nou eenmaal hetzelfde.

Philip pakte een klein blauw jongensonderbroekje van een overvolle plank en legde dat op een commode, die vol lag met verkreukelde kleren, autootjes, duploblokken, plastic badspulletjes en ander speelgoed. 'Dit is een reserve, voor het geval Ted een ongelukje heeft.'

Aïsha liet haar ogen door de kamer van de kinderen gaan. Voor Lieke was er een ledikantje met een mobile van vogeltjes erboven, het bed van Ted stond daartegenover, onder een grote poster van een racewagen. Het dekbed van Ted lag verfrommeld op het voeteneinde. Speelgoed, schoenen en kleren lagen verspreid op de grond, over de stoel en het kleine tafeltje dat bij het raam stond. Van opruimen hadden ze hier echt nog nooit gehoord. Afwezig pakte Philip een rood truitje van de grond en legde dat boven op de rommelige stapel op het tafeltje.

Aïsha dacht aan de lijst die de Babysit Babes hadden opgesteld en nam die in gedachten door. 'Krijgen de kinderen nog wat te eten of te drinken voor ze naar bed gaan?'

Philip liep met haar naar de keuken en keek haar aan alsof ze iets heel ongewoons vroeg. Een lach gleed over zijn vermoeide gezicht. 'Ja, dat is natuurlijk wel een leuk idee. Geef ze maar wat lekkers, trek gewoon een paar kasten open en dan kom je wel wat tegen.'

Verbaasd keek Aïsha even naar de vader van de twee kindjes terwijl die in de koelkast rommelde. Hij was echt erg vriendelijk, maar om de een of andere reden leek hij er niet zo heel erg bij te zijn met zijn gedachten. Alsof het zo raar was dat je nog een beker melk kreeg voor het naar bed gaan.

'Er staat drinken voor je in de koelkast,' zei hij, zich niet bewust van Aïsha's blik. 'Maar je mag ook thee of koffie zetten. Doe maar gewoon of je thuis bent.'

Aïsha knikte. Thuis? Thuis was het niet zo'n puinhoop als hier. Op het aanrecht stond vuile vaat opgestapeld, en ook de spoelbak stond nog vol. Aan de andere kant van het aanrecht stonden blikken, potten en pakken die zo te zien nog opgeruimd moesten worden. Hoe moest je hier in hemelsnaam koken? Er was geen plaats om iets te doen, het hele aanrecht stond tjokvol. Philip strikte zijn stropdas zonder in de spiegel te kijken en hees zijn broek op.

'Hoe kan ik u bereiken?' vroeg Aïsha beleefd en ze probeerde niet op de rommel in de keuken te letten. 'Een telefoonnummer en het adres?'

'Je hoeft geen u te zeggen, hoor. Wacht, ik zal mijn nummer even opschrijven. Een papiertje. Waar heb ik een papiertje... en een pen...'

Hij liep weer naar binnen, toen Aïsha een klein memobord naast de koelkast zag hangen. 'Schrijft u het hier maar op,' zei ze snel.

Met hanenpoten schreef Philip het adres op het bord en zijn nummer erbij. 'Dit is mijn mobiele nummer,' zei hij. Aïsha zette het meteen in haar eigen telefoontje.

Vanuit de kamer schetterde het lawaai van de reclame door het huis. Ted zat nog steeds onbewogen op de bank en Lieke speelde met een blokkenpuzzel in de box.

Het was alsof Philip er een beetje tegen opzag om weg te gaan, dus zei Aïsha: 'Goed, ik denk dat ik alles wel zal kunnen vinden.'

'Nou, dan ga ik maar,' zei Philip langzaam. Hij zag er plots afgetobd en moe uit.

Aïsha knikte. Ze wist niet wat ze moest zeggen. Waarom ging hij nou niet gewoon weg? Maar uiteindelijk pakte hij zijn jas en na de kinderen nog een knuffel te hebben gegeven vertrok hij dan toch. Zijn voetstappen weerkaatsten tussen de betonnen muren toen hij snel de trappen afliep en een paar tellen later hoorde Aïsha de deur van het portiek dichtvallen. Hij was echt weg, nu moest ze het zelf doen. Ze deed de voordeur dicht en liep terug naar de huiskamer.

Ted had zich niet verroerd, het leek wel of hij versteend was. Aïsha duwde wat rommel opzij en ging naast Ted op de bank zitten. Eerst dat geluid zachter. Jeminee, dat Philip daar niet hartstikke gestoord van werd! Ted knipperde niet eens met zijn ogen toen ze het volume van dertig naar acht terugzette. Vanuit de box keek Lieke haar nieuwsgierig aan.

De kinderprogramma's waren zo'n beetje voorbij. Het Jeugdjournaal, honger en armoede, een overstroming in een ver land… Niet echt beelden voor een driejarig jongetje. Opeens besefte Aïsha dat ze helemaal niet wist waar Ted naar mocht kijken. Ze besloot de tv uit te zetten. Toen keek hij wel op.

'Aan,' zei hij.

'Nee, er is niets leuks meer op,' zei Aïsha hoofdschuddend. 'Ga maar lekker spelen.'

'Spelen?'

'Je hebt mooi speelgoed. Ga daar maar mee spelen,' zei Aïsha opnieuw.

'Nee. Tv aan.'

'Nee, nu niet meer. De tv is niet leuk meer. Morgen mag je weer tv-kijken.'

'Spelen?'

Als dat alles is wat hij kan zeggen, dacht Aïsha, dan kijkt hij echt te veel tv. Ze knikte hem bemoedigend toe. 'Ja. Kijk, hier is een autootje. En van de tijdschriften maken we een weg en een racebaan,' zei Aïsha en ze vormde van de stapel bladen een grote cirkel.

'Tv aan,' zeurde Ted, maar Aïsha schudde opnieuw haar hoofd en zette een rijtje autootjes naast elkaar neer. 'Zo, en nu ga ik tellen: één… twee… drie en START!' Met broemgeluiden liet ze de wagentjes steeds een stukje verder komen. Nog even keek Ted naar het lege scherm van de televisie, maar toen won zijn nieuwsgierigheid het toch en keek hij naar wat ze deed. Dat ging goed!

'Waar gaat de auto naartoe?' vroeg ze aan Ted. 'Naar de winkel? Of naar de dierentuin?’ Ze pakte een plastic aapje dat op de grond lag en zette dat ook bij de racebaan. ‘Hier is een ontsnapte aap. Hij moet terug naar de dierentuin. Heb je een vrachtwagen waar hij in past, Ted?’

Na de eerste aarzeling deed hij mee. Aïsha liet hem zijn gang gaan en ging achteruit zitten. Hij was al snel vergeten dat hij televisie wilde kijken. Ze zette er nog wat dingetjes bij: een winkel en een pompstation, ook al zagen ze er verdacht veel uit als een leeg tissuedoosje en een omgekeerd pindaschaaltje. Daarna pakte ze Lieke uit de box en zette het meisje op de grond bij haar voeten. Algauw speelde ze met een paar plastic popjes die Aïsha bij haar neerlegde.

De kindjes waren heel lief, vond Aïsha. Ted reed de autotjes rond en was zo verdiept in zijn spel dat hij niet meer in de gaten had dat Aïsha ook nog in de kamer was. Maar de kleine Lieke begon na een poosje in haar oogjes te wrijven en een beetje te jengelen. Aïsha beet op haar lip. Lieke op schoot hielp niet, dan wriemelde ze net zo lang tot ze weer op de grond zat, en als ze tegen de bank aanhing – want los staan kon ze nog niet – wilde ze weer op schoot. ‘Wat wil je nou?’ fluisterde Aïsha tegen Lieke. ‘Moet ik een beetje voorlezen? Of wil je melk?’

‘Ik ook melk,’ zei Ted heel plotseling. Al die tijd had hij nauwelijks iets gezegd.

‘Wil je ook nog een beker melk?’ Aïsha haalde opgelucht adem. Dat was geen probleem, toch? Lieke uit zo’n tuitbeker, dat had Philip haar aangewezen, en Ted uit een gewone beker. Ze zette Lieke weer op de grond, waarna die het meteen op een huilen zette, en liep snel naar de keuken. Ze struikelde over een po die naast het fornuis op de grond stond en viel bijna tegen de koelkast aan. Binnen werd het huilen harder en doordringender.

‘Ja ja, ik kom eraan!’ riep ze sussend. Snel pakte ze een fles melk, gooide wat in de bekers voor de kinderen en liep ermee naar binnen.

Daar stond Ted en was Lieke met een pop op haar hoofd aan het slaan. 'Stil! Stil! Stil!' riep hij steeds.

'Ted! Stop daarmee! Niet slaan!' riep Aïsha geschrokken en

ze trok de pop uit zijn handen. Ted keek haar boos aan. Met gebalde vuistjes draaide hij zich om en maaide in een paar woeste bewegingen de racebaan en de autootjes van de tafel. O jee. Dit ging niet goed.

'Kijk eens,' zei Aïsha, 'een beker melk voor jou.'

'Niet melk! Niet melk!' schreeuwde Ted. Hij begon te krijsen en van schrik ging Lieke steeds harder brullen. Aïsha voelde haar opgewekte stemming van tien minuten geleden omslaan. Wat moest ze doen met een stel van die brulapen?

Ze pakte Lieke van de grond en duwde het plastic mondstukje van de tuitbeker in haar open mond. Eerst dronk Lieke er gulzig van, maar na drie slokken deed ze haar mond open, liet de melk eruit lopen en zette het opnieuw op een huilen.

'Ted! Hou op met krijsen!' zei ze wanhopig. 'Wil je geen melk? Dat is toch lekker!'

Maar hoe ze ook pleitte, ze kreeg de kinderen niet stil. Het kleine meisje was vlekkerig van het huilen en haar wangen waren nat, ze had een snotneus en alles zat onder de melk; Ted had besloten dat hij niet wilde ophouden met schreeuwen en had in een vlaag van woede de beker melk uit Aïsha's handen geslagen, zodat ook de vloer vol lag.

'Hé, ben je gek geworden!' schreeuwde Aïsha boos.

Het ventje verstijfde even, keek haar geschrokken aan en begon toen heel hard te huilen. Met gierende uithalen brulde hij zo hard als hij kon.

'O sorry, Ted, dat was niet de bedoeling,' zei Aïsha snel. 'Kom je bij mij? Dan zal ik je voorlezen.'

Niks hoor. Op zijn korte benen dribbelde hij naar de bank,

perste zich erachter en ging vervolgens luidkeels verder met huilen. Aïsha sjouwde achter hem aan met Lieke op haar arm, die steeds natter en snotteriger werd. Wat ze ook probeerde, Ted kwam niet van zijn plekje vandaan en bleef brullen. Ten einde raad zette Aïsha Lieke terug in de box en ze liep de gang in. Nikki. Die wist vast wat je moest doen met een baby die maar bleef huilen en hoe je een opstandige peuter moest aanpakken.

Maar Nikki nam niet op, ze kreeg alleen de voicemail.

Snel drukte ze de sneltoets voor Lisa in. Die moest op de tweeling passen, wist Aïsha, en dus zou ze thuis zijn. Inderdaad nam ze vrijwel meteen op.

'Hoi, met Lisa. Ben jij niet aan 't oppassen?'

'Ja joh, en ik zit hier in de ellende. Twee krijsende kinderen en ik weet niet wat ik moet doen om ze stil te krijgen!' Aïsha gluurde de kamer in om te zien of Ted niet iets uit zou vreten terwijl ze snel uitlegde wat er aan de hand was. Het gehuil vanuit de huiskamer ging onverminderd door.

'Heb je die melk wel warm gemaakt?' vroeg Lisa. 'Misschien vinden ze dat wel te koud, zo uit de koelkast.'

Daar had Aïsha niet aan gedacht. Zelf lustte ze niet eens melk. 'Dat zou best kunnen, want volgens mij had Lieke er wel zin in.'

'Je moet dat jongetje afleiden,' zei Lisa. 'Denk ik. Dat doe ik ook altijd bij Bram en Tom. Als ze echt heel vervelend zijn, ga ik zelf meestal naar boven, maar daar heb je nou niks aan, natuurlijk. Mama is best streng en bij haar kijken ze wel uit dat ze geen rottigheid uithalen. En papa zet gewoon de tv aan, dan zijn ze ook stil.'

De tv. Dat was ook zo. Aïsha had er niet meer aan gedacht, maar inderdaad had Ted als versteend naar het beeld zitten staren toen ze binnenkwam.

'Pa zegt altijd dat het niet pedagogisch verantwoord is en

dat dat hem geen hol kan schelen,' ging Lisa verder en ze lachte vrolijk. 'En dan zet hij de tv nog wat harder.'

'Oké, ik ga het proberen,' zei Aïsha haastig. 'Bedankt, Lisa. Ik bel je zo wel even terug.'

Warme melk en televisie, dacht Aïsha en ze stormde de ka-

mer in. Ted, blijkbaar nieuwsgierig waar ze nou bleef, was uit zijn schuilplaats gekropen maar stapte meteen weer achteruit onder luid gebrul. Aïsha probeerde het te negeren en zette de televisie aan. Ze zapte in het wilde weg en liet de zender staan toen ze een tekenfilm tegenkwam. Het geluid zette ze harder – opeens kon ze wel begrijpen waarom Philip de tv zo hard had staan – en ze griste de tuitbeker van de tafel. Aïsha wierp een snelle blik op Lieke, die zich opgetrokken had en tegen de rand van de box hing, en huilde en kwijlde over het hout. Dat ging nog. Aan Ted besteedde ze even geen aandacht. Snel warmde ze de inhoud van de beker op in de magnetron en nam een slokje. Huh! Melk! Zo vies! Maar zo wist ze in ieder geval zeker: het was niet koud meer en je tong brandde je er ook niet aan. Er hing een grauwe handdoek aan een haakje naast de keukendeur, die ze meenam.

Aïsha tilde Lieke uit de box en gaf haar de beker met het tuitje. Met ongecontroleerde armbewegingen duwde Lieke de beker weg, ze zette zich schrap en draaide woest met haar hoofd. Aïsha moest op het juiste moment toeslaan om het tuitje in Liekes mondje te stoppen. Het meisje nam een slok, verslikte zich, hoestte en Aïsha hield haar adem in. Maar toen drong het tot Lieke door en opeens dronk ze de melk zonder geproest en geworstel. Ze stopte met huilen.

Aïsha veegde haar snoetje schoon. Lieke knipperde met haar oogjes en wreef met mollige knuistjes door haar gezicht. Ze haalde een beetje bibberig adem.

'Hé, meisje. Gaat het nou weer? Had ik je koude melk gegeven? Ik wist helemaal niet dat het een beetje warm moest zijn.' Aïsha praatte zacht met haar en werd na de tranen beloond met een waterig maar lief lachje. Toen de beker leeg was, hing ze slap en moe tegen Aïsha aan.

'Zal ik jou maar eens naar bed brengen?' fluisterde Aïsha. Er kwam natuurlijk geen antwoord omdat Lieke nog niet kon praten, maar het was wel duidelijk dat ze heel erg moe was en waarschijnlijk erg vlug in slaap zou vallen als ze eenmaal in bed lag.

Opeens besefte Aïsha dat het enige geluid in de kamer dat van de tv was. Het geblèr van Ted was opgehouden. Ted zelf was nog niet tevoorschijn gekomen, maar Aïsha zag een voet achter de bank uitsteken en ze wist dat hij stond te dubben of hij achter de bank zou blijven zitten of niet. Met de tv aan zou het niet lang duren voordat hij zich gewonnen moest geven.

Aïsha stond op en bracht Lieke naar bed. Ze moest oppassen waar ze liep, zeker zo met Lieke op haar arm. Onderweg naar de badkamer trapte ze op een stuk speelgoed dat in tweeën brak. Toen ze haar schoen optilde zag ze dat het een onderdeel van een treintje was. Helaas pindakaas: kapot. Dat zou ze dadelijk maar meteen weggooien, voordat er iemand met blote voeten in ging staan.

De badkamer was klein en op het plafond boven de douche zat een grote donkere schimmelplek, maar tot Aïsha's verrassing rook het naar schoonmaakmiddelen en was het er redelijk opgeruimd. Er zaten geen klodders tandpasta, haren of zeepresten in de wastafel, en de spiegel en de kranen glommen. Wat een verschil met de rest van het huis!

Ze poetste Liekes kleine tandjes met een minitandenborsteltje, haalde een fris washandje over haar gezicht, gaf haar een schone luier en deed haar pyjama aan en tien minuten later lag Lieke met haar speen in haar mond in het ledikantje.

'Dag Lieke, ga maar lekker slapen,' zei Aïsha en ze gaf het kleine meisje een aai over haar bolletje. Ze liet de deur een klein stukje openstaan en keek nog even naar binnen. Lieke draaide totdat ze goed lag, frummelde wat aan haar speen en bleef daarna stil liggen. Als ze niet wakker zou blijven van die knetterde televisie, zou ze wel heel snel naar dromenland vertrokken zijn.

Hoe zou het in de huiskamer zijn?

Ted zat op de grond voor de bank. Hij zag er al net zo vlekkerig uit als zijn kleren, die vies en verfomfaaid waren, en zijn gezicht zat onder de vuile vegen snot, maar hij was in ieder geval rustig. Aïsha zette de televisie wat zachter, ruimde de melktroep op en haalde uit de keuken een glas thee voor zichzelf en een koekje voor Ted.

Ze knoopte een praatje met hem aan over het programma waar ze naar keken. Af en toe stelde ze Ted een vraag of vertelde expres dingen die niet klopten, waarop Ted haar met een ernstig gezichtje verbeterde. Toen het programma afgelopen was, zette Aïsha op goed geluk de tv uit en las hem voor uit een Jip en Janneke-boek dat op een plankje onder de salontafel lag. Hij kroop tegen haar aan, moe en warm, en toen het verhaaltje uit was werkte Aïsha snel een soortgelijk programma af als ze eerder met zijn kleine zusje had gedaan: plassen, wassen, tandenpoetsen, pyjama aan en naar bed.

'Kijk Ted, Lieke slaapt al. Nou jij ook lekker gaan slapen.'

'Niet slapen,' zei Ted slaperig. Hij draaide op zijn zij en probeerde zijn ogen open te houden. Huilen en brullen en krijsen om aandacht te krijgen maakten blijkbaar moe, dacht Aïsha en ze trok de slaapkamerdeur dicht tot op een kiertje. 'Lamp aan?' vroeg Ted met een duf stemmetje.

'Ik laat het licht op de gang aan,' fluisterde Aïsha.

'Jij lief,' zei hij plotseling.

Op de gang glimlachte Aïsha. Wie had dat kunnen denken? 'Welterusten, Ted,' zei ze zachtjes.

Er kwam geen antwoord meer en Aïsha haalde een keer diep

adem. Dat was toch goed gekomen, uiteindelijk. Opeens leek de flat wel erg stil, zo zonder tv en zonder gebrul van kinderen. Ze liep de keuken in. Hoe kon je in godsnaam hier ooit koken, in zo'n bende? Zelfs het glas dat ze voor de thee had gebruikt, had ze eerst om moeten spoelen met kokend water voor ze het wilde gebruiken. Het was niet alleen erg rommelig en vol in huis, het was ook behoorlijk vuil. Plotseling jeukten haar vingers. *Niet doen*, zei ze streng tegen zichzelf. *Je hoeft andermans vuiligheid niet op te ruimen.*

Ze liep terug naar de huiskamer en liet haar blik door de kamer glijden. De melk was opgeruimd, maar de vlekken die achtergebleven waren op de vloerbedekking en de mosterdkleurige bank waren nog nat en donker. Niet dat het echt heel erg opviel: de bank en de twee stoelen zagen er sowieso niet al te schoon uit. Tegen een muur stonden boekenrekken die propvol stonden met alles wat maar opgeborgen of weggelegd moest worden: niet alleen boeken en tijdschriften, maar ook cd's, ordners, brieven, reclamefolders, speelgoed, computerrommel en nog veel meer. Op een antiek bureau zag Aïsha een paar ingelijste foto's staan. Ze bekeek ze een voor een. Foto's van Ted en Lieke, kleiner nog dan ze nu waren, een kiekje van Philip in sportkleding, zwaaiend met een hockeystick, een winterse foto van Philip, innig gearmd met een vrouw in een dikke jas met een bontkraag. Ze stond ook op een andere foto, alleen. Kleine ogen achter brillenglazen, een verlegen glimlachje dat om haar mondhoek speelde. Wie was dat? De moeder van Ted en Lieke natuurlijk. Philip was zeker gescheiden en dit waren herinneringen aan beter tijden.

Aïsha zuchtte. Als mijn man zo'n troep zou maken, zou ik ook scheiden, dacht ze en ze plofte neer op de bank. Eens kijken of er wat op tv was.

Even over half elf hoorde ze een sleutel in het slot. Philip kwam binnen met verwaaide haren en zijn sjaal naar achteren geblazen door de wind. Was hij op de fiets naar die vergadering gegaan? Aïsha zou toch niet bij hem achter op de fiets naar huis moeten, hè...? Ze was ervan uitgegaan dat hij een auto had! Zou ze haar moeder bellen? Hoe dan ook, hij bracht de frisse buitenlucht met zich mee toen hij zijn jas ophing aan de overvolle kapstok. Aïsha zette de televisie uit.

'Hallo,' zei hij toen hij binnenkwam. 'Daar ben ik weer. Hoe is het gegaan?'

Nog lang voordat hij thuis zou komen had Aïsha bedacht wat ze zou zeggen. Alles goed? Pfft. De buren hadden dat gekrijs vast en zeker ook gehoord, dat kon je nauwelijks geheimhouden. Aan de andere kant waren ze misschien zo gewend aan lawaai van dit gezin dat ze er niet eens erg in zouden hebben. Eerlijk duurt het langst, dacht Aïsha en ze zei: 'Ted was erg aan het huilen toen u weg was. En Lieke deed na een poosje mee. Maar ik heb wat melk voor ze gemaakt en een verhaaltje voorgelezen en daarna ging het prima. Ze zijn lief gaan slapen en ik heb ze niet meer gehoord.'

Philip lachte. 'O ja. Ted is echt op zo'n leeftijd dat hij probeert hoe ver hij kan gaan.' Hij plofte neer op de bank, boven op een paar kranten en een tijdschrift. Het maakte hem blijkbaar niets uit. Zijn jasje verkreukelde voor Aïsha's ogen. Met een ruk trok hij zijn stropdas losser. 'Hè, hè. Wat een hoop gezanik op zo'n vergadering. Maar ja, dat hoort erbij.' Hij begon zijn schoenveters los te trekken.

Aïsha vroeg zich af of hij nog wist dat hij haar naar huis zou brengen. Met de auto, als dat enigszins kon...

'Kon je alles vinden wat je nodig had? Het is hier een beetje rommelig.' Philip liet zich met een zucht achterover tegen de rugleuning zakken. 'Hè, blij dat ik thuis ben.'

'Ja hoor,' zei Aïsha. Ze wist verder niks te zeggen en wachtte af. Misschien wilde hij gewoon even op adem komen.

'Zou je nog een keer willen komen?' vroeg Philip en hij keek haar aan. Er ging een hartelijkheid van hem uit die zelfs door de lijnen van vermoeidheid niet verborgen kon worden.

Aïsha glimlachte en knikte. 'Natuurlijk. U kunt me bellen.' Dit was een mooi moment om het lijstje tevoorschijn te halen, en Aïsha pakte het overzicht met de tarieven en de telefoonnummers uit haar tas en gaf het aan Philip.

'O, dat briefje had ik al van je vriendin gekregen, in de bus,' zei hij. 'Maar ik raak nogal snel dingetjes kwijt, dus fijn dat je er nog eentje voor me hebt.'

'Als u dit onder de telefoon legt, vindt u het makkelijk terug,' zei Aïsha.

Opeens schoot Philip in de lach. 'Zo klink je net als mijn vrouw. Die kon ook zo praktisch uit de hoek komen.' Hij zag Aïsha's gereserveerde blik en zei erachteraan: 'Ze is kort na de geboorte van Lieke overleden.'

Overleden? Aïsha voelde iets samenknijpen in haar buik. Had ze net nog gedacht dat Philip een rommelkont was en dat zijn vrouw daarom weg was gegaan... Schuldgevoel borrelde in haar op.

'Wat erg voor u en voor Ted en Lieke.'

‘Ja, dat is het zeker. Ik mis haar nog elke dag. Ze was zo lief. We waren elkaars tegenpolen, in alle opzichten. Zo chaotisch als ik ben, zo opgeruimd was zij. We hielden elkaar goed in evenwicht.’ Met een zucht en een glimlach om zijn lippen keek hij om zich heen. ‘Het is hier wel een bende, hè? Mijn vrouw zou het nooit zo ver hebben laten komen. Maar op de een of andere manier lijkt het wel of ik het niet opgeruimd krijg. Ik doe de badkamer en de wc en de was en dan moet ik alweer werken of iets met de kinderen doen of ergens heen – het lukt me gewoon niet om de rest onder handen te nemen.’

‘Woont u hier nog niet zo lang?’ Aïsha zag dozen staan achter de eetkamertafel en ze meende een naam van een verhuisbedrijf erop te zien.

‘Nee, pas een half jaar. We hadden een leuk huis in een buitenwijk van Weert, maar na het overlijden van mijn vrouw kwam ik terug naar Eindhoven. Dit is dichter bij mijn werk, mijn ouders wonen hier en het kinderdagverblijf is om de hoek, dus heel wat makkelijker.’

Aïsha knikte. Wat moest je in hemelsnaam zeggen bij zoiets? Philip merkte haar ongemak niet op en krabbelde aan zijn stoppels, terwijl hij verder vertelde.

‘Mijn vrouw werd ziek toen ze in verwachting was van Lieke. Sinds ze er niet meer is moet ik echt zo ontzettend veel regelen! Vroeger stond ik er niet bij stil hoe zwaar het is voor een alleenstaande ouder, maar ik ondervind het nu zelf dagelijks. Alleen hier de boel bijhouden is al een ramp.’

‘Zou u niet een schoonmaakster kunnen laten komen?’ opperde Aïsha voorzichtig.

‘Tja, maar ik zie niet wanneer dat dan moet. Ik ben óf aan het werk óf met de kinderen thuis en dan kun je helemáál geen kant op. En daarbij – ik zou niet eens weten wie dat zou kunnen en willen doen.’ Plotseling sprong hij overeind. ‘Maar genoeg nu! Ik zit te klagen, daar moet ik jou niet mee lastig vallen. Zal ik je even naar huis brengen?'

'Eh... u heeft net uw veters losgemaakt,' zei Aïsha, waarop Philip in de lach schoot en naar zijn schoenen keek.

'Dat is waar ook. Waarom heb ik dat eigenlijk gedaan? Die zal ik dan maar eerst vastmaken voordat ik op mijn gezicht lig.'

Was dat tekenend voor zijn verstrooidheid? Waarschijnlijk wel. Aïsha stond ook op. 'Ik zal nog even bij de kinderen kijken of ze er goed bij liggen.'

Toen ze had gezien dat Ted niet uit bed zou vallen, en na een aai over Liekes bolletje, trok ze haar jas aan en liep met Philip naar beneden.

'Wel vervelend dat u ze nu weer alleen moet laten,' zei ze.

'Dat moet wel eens vaker, en ik ben zo weer thuis. Als de kinderen eenmaal slapen, worden ze tussendoor zelden of nooit wakker. Maak je daar maar niet druk om. Je woont toch niet ver weg en ik wil niet dat je alleen over straat gaat zo 's avonds laat. De benedenbuurvrouw heeft ook een sleutel. Als er iets is gaat zij wel even kijken.'

De auto was een roestige, oude Citroën die eruitzag alsof hij elk moment door zijn assen kon zakken. Het portier klemde en Aïsha moest drie keer aan de klink trekken voor hij openging, maar de auto startte meteen en Philip reed rustig op aanwijzingen van Aïsha naar haar huis. Opeens besefte ze dat hij nog niet betaald had en een beetje onrustig trok ze aan de riem. Moest ze daar nog iets van zeggen? Natuurlijk, maar hoe deed je dat netjes?

'Meneer Rondhout...' begon ze, maar hij onderbrak haar meteen.

'Zeg alsjeblieft Philip. Als je vaker komt, vind ik dat heel gewoon.'

Aïsha aarzelde. Ze vond het niet fijn om 'je' en 'jij' te zeggen tegen volwassenen. Van huis uit had ze geleerd om 'u' te zeggen tegen iedereen die ouder was en het voelde ongemakkelijk om dat nu al te laten vallen. En al helemaal op het moment dat ze om geld moest vragen.

'Betaalt u mij dadelijk?' vroeg ze voorzichtig en terughoudend.

Philip reageerde opeens heel fel. Hij sloeg met zijn hand op het stuur. 'Verdorie! Dat had ik meteen moeten doen! Ik ben ook zo'n warhoofd.' Hij was in staat om op de rem te trappen en midden op de doorgaande weg te stoppen.

'Het hoeft niet nu!' zei Aïsha snel. 'Dadelijk als we thuis zijn, of anders...' *de volgende keer*, wilde ze zeggen, maar ze slikte dat in. Daar moest ze niet aan beginnen. Het was een dienst waarvoor betaald moest worden, en dat moest ook meteen gebeuren, niet op een andere dag.

'Nee, nee, ik had het net bij me thuis meteen moeten doen,' mopperde Philip. 'Gelukkig heb ik mijn portefeuille wel bij me en natuurlijk zal ik je meteen betalen zodra we voor de deur van jouw huis staan.'

Enkele minuten later liet Aïsha hem stoppen voor een gezellig ogende tussenwoning in een rustige straat. Achter de ramen van de huiskamer brandde licht, hoewel de gordijnen dicht waren.

Philip hanneste om zijn portefeuille uit zijn achterzak te krijgen en overhandigde haar een briefje van twintig. 'Alsjeblieft.'

'Daar kan ik niet van teruggeven,' zei Aïsha meteen.

Philip lachte en schudde zijn hoofd. 'Dat is ook niet nodig. Ik hoef geen geld terug, ik ben allang blij dat je wilde oppassen.'

Aïsha keek naar het biljet dat ze in haar handen hield. Twintig euro – wat een hoop geld. 'Dit is veel meer dan...'

'Het is goed zo,' onderbrak Philip haar met een glimlach. 'Kan ik je weer bellen?'

'Maar...'

'Aïsha – genoeg. Je hebt het verdiend, en ik ben blij dat er iemand in mijn huis is die verantwoordelijkheid wil dragen voor mijn kinderen, al is het maar voor een paar uur. Je kunt je niet voorstellen hoe fijn het is om daar even niet over in te hoeven zitten.' Hij wuifde haar bezwaren weg. 'Fijne avond en slaap lekker. Tot de volgende keer?'

Aïsha knikte. 'Dank u wel,' zei ze verlegen. 'Tot de volgende keer.'

Ze stapte uit. Philip wachtte tot ze in het halletje stond en trok daarna zachtjes op. Hij zwaaide nog een keer op de hoek van de straat en Aïsha duwde de voordeur dicht toen hij weg was.

'Hallo lieverd,' zei haar moeder toen ze binnenkwam. 'Hoe is het gegaan?'

'Prima,' zei Aïsha met een blik op de klok. Het liep al tegen elven en ze moest morgen gewoon naar school, dus ze wilde liever meteen doorlopen naar boven. Maar opeens vroeg haar opa iets aan haar. Aïsha verstond het niet. Het klonk snauwerig.

'Ik kan u niet goed verstaan, opa,' zei Aïsha beleefd.

Aïsha's vader trok aan de mouwen van zijn overhemd. 'Opa wil weten waarom je met die man in de auto zat.'

Aïsha keek hem niet-begrijpend aan.

'Met die mán,' verduidelijkte haar vader de woorden van Aïsha's opa. 'Waarom heeft zijn vrouw je niet thuisgebracht? Het is niet netjes om je door een man te laten thuisbrengen. Zijn vrouw had het moeten doen.'

Aïsha's ogen vernauwden zich wat. 'Meneer Rondhout heeft geen vrouw meer. Ze is overleden.'

'O.' Haar vader was meteen een beetje uit het veld geslagen.

'Had je liever gewild dat ik in mijn eentje naar huis kwam lopen vanaf de Kennedylaan?' vroeg Aïsha. Ze maakte aanstalten om naar boven te gaan, toen haar opa nog iets zei.

‘Opa wil weten wat je net kreeg, in de auto,’ vertaalde haar vader.

Kreeg? Hadden haar ouders en haar opa haar bespied vanuit het huis? Wat was dat nou voor onzin? ‘Geld natuurlijk,’ zei ze een beetje verbaasd. ‘Wat anders?’

‘Geld?’ Opeens verstond Aïsha haar opa heel goed. ‘In die auto?’ Hij zei er nog iets achteraan dat Aïsha niet begreep en haar vader herhaalde het voordat ze de kans had om dat te zeggen.

‘Opa zegt dat je dat niet in de auto mag doen. Het ziet er... raar uit.’

Aïsha’s mond zakte open. ‘Watte?’

‘Doe niet zo raar,’ zei Aïsha’s moeder scherp tegen haar man. ‘Wat is dat nou voor een opmerking.’

Opa riep nog iets. ‘Wat moet de buurt wel niet denken als ze zien dat een man jou geld geeft in de auto?’

‘Hij betaalde mij voor het oppassen!’ riep Aïsha uit. ‘We dachten er pas aan toen we onderweg waren en daarom deed hij dat hier, toen ik thuis was.’

Weer onduidelijk gebrom. Aïsha ving de Turkse woorden voor ‘oppassen’, ‘nooit’, ‘man’ en ‘meisje’ op. Plus iets dat klonk als ‘onfatsoenlijk’, maar dat wist ze niet zeker.

Haar moeder kwam naast Aïsha staan. ‘Jullie horen het,’ zei ze koeltjes tegen de mannen in de kamer. ‘Aïsha heeft vanavond gewerkt, de meneer was tevreden en heeft haar betaald. Ga maar naar boven, Aïsha.’ Ze gaf haar dochter een zoen en fluisterde: ‘Ik regel het hier wel, maak je maar geen zorgen. Welterusten, liefje.’

Het biljet van twintig euro leek opeens te branden in Aïsha’s broekzak en snel liep ze de kamer uit. De beheerste stem van haar moeder en lijnrecht daartegenover de opgewonden stemmen van haar vader en opa bleven haar achtervolgen tot op de badkamer. Snel deed ze wat ze moest doen en schoot haar kamer in. Ze stopte het geld in een blikken doosje dat ze wegstopte achter haar ondergoed, griste haar mp3-speler uit haar tas en met muziek in haar oren dook ze in bed. Het geluid van Madonna overstemde het geruzie beneden.

En toch: hoe hard ze het ook zette, het verdween niet. Niet echt. Niet helemaal. De afkeuring van haar opa, haar vader en haar moeder, die boos maar geduldig tegen alle argumenten inging. Tegen de tijd dat Aïsha in slaap viel, waren de stemmen in de huiskamer nog niet verstomd.

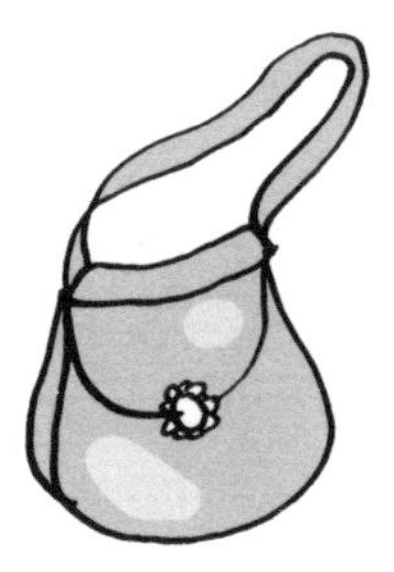

'En je gelooft niet wat voor een troep het daarbinnen was,' besloot Aïsha haar verhaal over het oppassen van de vorige avond. Het was lunchpauze en de vriendinnen zaten in de hal van de school. 'Eerst dacht ik dat hij gewoon een rommelkont was, maar toen hij zei dat zijn vrouw was overleden kreeg ik zo'n medelijden met hem...'

'Het is wel zielig, ja.' Nikki nam een hap van haar krentenbol en zei met volle mond: 'Maar toch hoeft dat helemaal niks met elkaar te maken te hebben. Sommige mensen zijn nou eenmaal troepmakers. Als je ziet wat voor puinhoop Viggo er altijd van maakt in zijn kamer...'

'Ben je er naar de wc geweest?' wilde Lisa weten. 'Groeiden daar ook de paddenstoelen onder de bril?'

‘Ah bah!’ gilde Aïsha griezelend en ze dook weg in de kraag van haar trui. ‘Doe niet zo goor! Nee, dat was juist heel netjes.’ Ze rilde. ‘Bah, viezerik.’

Nikki lachte. ‘Misschien groeien ze wel achter de bank. Je hebt ook schimmels die het heel goed doen in ribfluwelen banken, vooral als er melk overheen geknoeid is.’ Ze dook opzij om de mep te ontwijken die Aïsha haar wilde geven met haar lege waterflesje.

‘Wie komt er nou vanavond?’ vroeg Nikki toen ze uitgelachen waren.

‘Ik!’ zei Moniek.

‘En ik ook, maar ik ben wel wat later,’ zei Lisa.

‘Ik kom ook,’ knikte Aïsha. Ze had het nog niet gevraagd aan haar vader, wel aan haar moeder. Vanmorgen, bij het ontbijt, net voordat haar moeder wegging naar haar werk. Aïsha’s moeder was gewoonlijk altijd opgewekt, maar het ontging Aïsha niet dat ze een beetje stuurs keek.

‘Mam,’ had Aïsha zacht gevraagd toen ze haar boterhammen voor de pauze smeerde, ‘jullie hebben nog lang gepraat, hè?’

‘Ja, dat kun je wel zeggen, Aïsha. Ik krijg het hem gewoon niet aan zijn verstand gebracht.’

‘Wie – papa of opa?’

‘Opa. Ik heb hem heel duidelijk verteld dat hij er veel te veel achter zoekt, maar hij werd alleen maar bozer en op den duur was hij zo aan het schreeuwen dat ik er niet meer tussen kon komen, en toen had het ook geen zin meer om er nog op door te gaan. Ik heb hem maar laten mopperen.’

Aïsha sloeg haar armen om haar moeders nek en gaf haar een dikke kus. ‘Dank je wel dat je het zo voor me hebt opgenomen,’ fluisterde ze. Ze wist heel goed dat haar moeder ook veel op het spel zette door tegen haar schoonvader in te gaan. Er waren vaak spanningen in het gezin en dat kwam door opa. Hij kon er niet tegen dat zijn schoondochter werkte. Dat ze zo veel werkte. Dat ze goed verdiende. Dat ze meer verdiende dan haar man. Aïsha kréég er wat van. Wat maakte dat nou toch uit? Haar vader had een goede baan als hoofd technicus bij een installatiebedrijf. Hij was toch niks minder dan zijn vrouw? Wilde opa dan liever dat zijn schoondochter wc's ging schoonmaken? Of dat ze de hele dag thuisbleef en soaps keek?

Aïsha kreeg een klopje op haar arm en een kus. 'Graag gedaan,' zei haar moeder vol warmte. 'En nu moet ik voortmaken, anders krijg ik boze ogen in de wachtkamer.'

Dat was vanmorgen, voordat Aïsha naar school ging. Aïsha dacht aan haar moeder en het lachje waarmee ze haar dochter toegewuifd had voordat ze in de auto stapte. Zonder haar moeder zou Aïsha het niet kunnen redden thuis, dat wist ze zeker. Papa had niks in te brengen en als alleen hij en opa er zouden zijn, dan... dan... dan zou ze weglopen.

'Alles goed, Aïsh?' vroeg Moniek, die merkte dat ze in gedachten verzonken was.

'Ja hoor,' knikte Aïsha haastig. 'Ik dacht even aan iets anders. Hoe laat moeten we bij jou zijn vanavond, Nikki?'

'Om een uur of zeven. Mag ook iets eerder, hoor,' zei Nikki. Haar blik bleef net iets langer op Moniek rusten dan normaal. Aïsha zag het en schudde haar hoofd. Typisch... Nikki's broer had een oogje op Moniek, maar Moniek had al tig keer gezegd dat ze geen interesse in hem had. En nóg probeerde Nikki om Moniek iets vroeger te laten komen. Misschien wel in opdracht van Viggo, bedacht Aïsha met een schokje. Spanden broer en zus samen om Moniek te strikken?

'Aïsha! Waar zit je toch met je gedachten!' Lisa trok aan haar arm.

'Wat?' Aïsha schrok op. Had Lisa haar iets gevraagd? 'Sorry. Wat zei je?'

'Of ik jouw wiskundeschrift even mag zien!'

Aïsha drukte op de bel. Half zeven. Ze was veel te vroeg maar ze móést gewoon het huis uit. Ook al zei opa niks meer over de vorige dag, zijn boze bui hing als een donderwolk boven alle hoofden. Aïsha werd er naar van. Zodra ze de afwas gedaan had, had ze haar jas aangetrokken en was vlug weggegaan.

De deur werd opengedaan. Door Viggo!

'O, hoi,' zei hij tamelijk ongeïnteresseerd. Hij trok de deur wat verder voor haar open, mompelde iets over binnenkomen, draaide zich om en liep meteen door naar boven.

Aïsha keek hem bewonderend na. Viggo was lang en gespierd, met brede schouders, zodat hij eruitzag alsof hij veel tijd bij de fitness doorbracht, hoewel ze van Nikki wist dat dat niet zo was. Net als Nikki had hij bruine ogen, maar in tegenstelling tot zijn zus had hij geen steil haar, maar krullen die bovenop zo blond waren dat het leek alsof hij ze had laten bleken. Rond zijn mond speelde altijd een licht spottend lachje. Hij droeg meestal wijde skaterbroeken die meer ónder dan op zijn heupen hingen – zelfs dat stond hem goed, terwijl Aïsha daar helemaal niet van hield. Hij zat in het laatste jaar van de havo. Aïsha had geen idee wat hij ging doen na de middelbare. Ze keek altijd of ze hem in de gangen van de school zag, ze zei hem gedag als ze elkaar kruisten en voelde een tinteling in haar buik als hij een keertje naar haar lachte. Maar meestal had hij geen enkele belangstelling voor haar. Vaak liep hij haar straal voorbij en ondanks Aïsha's nerveuze 'hoi' gaf hij haar geen antwoord of zag hij haar simpelweg niet eens.

Niemand wist dat ze verliefd was op Viggo. Nikki had er geen erg in en voor Lisa en Moniek hield Aïsha het ook verborgen. Het was niet dat ze zich ervoor schaamde of zo. Maar het klonk een beetje raar om te zeggen dat ze smoor was op de broer van haar vriendin. Net of ze alleen maar naar Nikki ging om Viggo te zien of zo. Wat natuurlijk helemaal niet zo was.

Aïsha hing haar jas aan de kapstok. De huiskamerdeur ging open en Nikki kwam de gang op met een gezicht dat storm en onweer voorspelde. Tip trippelde om haar voeten. Nikki had geen aandacht voor hem.

'Heb je het gehoord? Van dat stomme mens van Frans?'

Aïsha knikte. Er was vanmiddag tijdens het laatste uur iets voorgevallen. Nikki had ruzie gehad met mevrouw Nuyts, de lerares Frans. Die dacht dat Nikki zat te sms'en tijdens de les, en aangezien het gebruik van mobieltjes verboden was op school, kreeg ze de wind van voren. Hoe het precies was gebeurd, was Aïsha niet helemaal duidelijk, maar in ieder geval was Nikki's mobiel gesneuveld tijdens die ruzie. Alleen Moniek zat bij Nikki in de klas, dus Lisa en Aïsha hadden heel die ruzie niet meegemaakt.

Lisa had Aïsha gebeld en die had het hele verhaal weer van Moniek vernomen. Aïsha keek naar Nikki, die eruitzag alsof ze ieder moment óf zou gaan schreeuwen óf in tranen uit zou barsten.

‘Mam heeft gezegd dat ik pas een nieuwe mobiel krijg als duidelijk is wat er gebeurd is!’

‘Je bent toch ook bij Wierdering geweest? Wat zei die?’ Aïsha liep mee naar binnen en keek rond of ze Kim ergens zag, maar de box en de kinderstoel waren allebei leeg.

Nikki schopte baldadig tegen de poot van de bank aan. ‘Niks. Hij zanikte alleen maar dat ik begrip moest hebben voor Nuyts.’ Nikki klemde haar lippen op elkaar omdat Kees net binnenkwam. Zijn haren zaten verward van het fietsen en zijn wangen waren rood. Hij haalde zijn neus op.

‘Hoi. Wat een wind! Het was trappen geblazen. Hallo, Aïsha.’

Aïsha knikte hem gedag. Ze wist nooit zo goed wat ze moest zeggen. ‘Kees’ vond ze zelf niet kunnen, maar ‘meneer Rood’ klonk ook zo raar omdat ze tegen Nikki’s moeder ‘mevrouw Veldmaat’ zei. Het was dan net of ze niet bij elkaar hoorden!

‘Fijn dat je kunt oppassen,’ ging Kees verder. Hij trok zijn jas open en haalde in dezelfde beweging een zakdoek uit zijn zak. Hij snoot luidruchtig zijn neus voordat hij Nikki een kus op haar voorhoofd gaf. ‘Dag, lieverd.’

Aïsha knipperde met haar ogen. De genegenheid die de familie voor elkaar toonde – behalve dan dat Nikki en Viggo elkaar af en toe de tent uit vochten – was niet iets waar zij aan gewend was. En dan was Kees nog niet eens Nikki’s echte vader.

‘Is er iets?’ vroeg Kees toen hij terugkwam uit de hal en zijn haren kamde. ‘Je kijkt zo boos.’

Nikki schudde haar hoofd en haalde toen haar schouders op. ‘Ruzie op school. En nou is mijn mobiel kapot gevallen.’

‘O. Met wie had je ruzie? Een klasgenoot?’ Het ontging Aïsha niet dat hij een zijdelingse, vragende blik op haar wierp en snel schudde ze haar hoofd. *Niet met ons*, zei ze daar in stilte mee en Kees knikte bijna onmerkbaar.

'Met Nuyts van Frans. Ze pakte mijn etui en toen gooide ze mijn mobiel op de grond. Eigenlijk kan ik beter zeggen: ze gooide mij de klas uit.'

'Gooien?' Vragend gingen Kees' wenkbrauwen omhoog. Hij duwde zijn kam weer in zijn achterzak en ging op de leuning van de bank zitten terwijl hij zijn ogen niet van Nikki afnam.

'Gooien ja!' zei Nikki uitdagend.

'Niet zo boos doen. Ga eens verder,' zei hij kalm.

'Ze werd kwaad over iets onbenulligs. Ze begreep me helemaal verkeerd en ze ging compleet over de rooie... Het was te gek voor woorden. En toen griste ze mijn spullen van tafel en mijn mobiel viel uit mijn etui en kletste op de grond kapot.'

'Vallen is iets anders dan gooien,' wees hij haar terecht. 'Heb je het er al met mama over gehad?'

Nog steeds verontwaardigd knikte Nikki en Aïsha zag haar gespannen schouders en haar onderlip trilde toen ze vertelde wat de reactie van haar moeder was nadat de leerling-coördinator gebeld had. Haar moeder was er tamelijk duidelijk over geweest: waar twee vechten hebben twee schuld.

'Wat zei ze dan?' wilde Kees weten.

'Ze zei,' zei Nikki en ze zette een andere stem op: "Nikki, ik vind het maar een raar verhaal en het is niet zo dat Kees en ik zomaar een nieuwe telefoon voor je kopen." En toen zei ze dat ze eerst wilde weten wat de school nog met Nuyts afspreekt.'

'Nou, dan is ze daar duidelijk in,' zei Kees, niet onder de indruk van Nikki's boze toon. 'Dus voorlopig even geen mobieltje.'

Nikki schrok. 'Wat? Maar ik kan niet zonder telefoon!'

'Niet zonder? Meid, het is een telefoon, geen beademingsmachine!' Kees stond op, kwam naast Nikki zitten en sloeg zijn arm om haar schouders. 'Hé, je hoeft niet zo verdrietig te zijn. Het komt echt wel in orde. Je zult zien dat als er een paar dagen voorbij zijn, je er heel anders tegenaan kijkt. Die Nuyts zal ook wel geschrokken zijn, want dit was natuurlijk ook niet haar bedoeling. Na het weekend nemen we contact op met de school en dan zoeken we het uit. In de tussentijd gebruik je gewoon een ander telefoontje, er ligt er in ieder geval nog eentje in de kast. Is de SIM-kaart nog goed?'

Hij was zo rustig en zo vriendelijk dat Nikki een beetje ontspande. 'Weet ik niet. Heb ik nog niet geprobeerd.'

'Ik zal eens even kijken wat ik nog heb liggen.' Kees stond op en na een bemoedigend kneepje in zijn stiefdochters schouder trok hij een kast open.

'O hallo, Aïsha.' De kamerdeur ging open en daar kwam Nikki's moeder binnen met Kim op haar arm. Kim rook naar babyzalf en ze had rode wangetjes. 'Dit kleintje is heel moe, en ze moet eigenlijk naar bed, maar ik dacht dat je het wel leuk zou vinden om haar nog even te zien.'

Aïsha lachte en kreeg een stralende lach van Kim terug.

'Je bent lekker vroeg,' ging Nikki's moeder verder. Ze gaf Kim over aan Aïsha, liep naar Kees om hem een kus te geven en maande hem daarna om zich te gaan omkleden.

'Ik zoek een telefoon,' zei hij vanachter de kastdeur.

'Jouw telefoon? Die ligt op tafel,' zei Nikki's moeder verbaasd.

'Nee, niet die. Ik bedoel die oude. Voor Nikki.'

Er werd geknikt, hoewel het niet van harte ging. 'Ah. Je hebt het al gehoord, dus.'

'Ja, en aangezien Nikki over een half uur voor het weekend naar haar vader gaat, lijkt het me verstandig als ze voor die tijd nog een mobieltje heeft. Anders kunnen wij haar niet bereiken en zij ons ook niet. Ah, gevonden. Nik, pak dat SIM-kaartje eens?'

Nikki's moeder zei niets meer over de hele telefoontoestand en gebaarde naar Aïsha. 'Loop even mee, Aïsha, dan zal ik je even uitleggen waar alles staat en wat er nog moet gebeuren.'

Ze liet zien hoe de magnetron werkte en wees naar de koelkastdeur. 'Het zal wel niet nodig zijn en je hoeft Kim er niet voor wakker te maken, maar mocht ze wakker worden, dan geef je haar maar gewoon het flesje dat in de koelkastdeur staat. Je hoeft het alleen maar op te warmen. Als ze niet wil, hoeft het niet. Je kunt beter eerst even kijken of haar luier niet erg nat is, want daar wordt ze ook nog wel eens wakker van.' Ze kriebelde haar dochter onder haar kin. 'Ik wilde ook op Moniek wachten, maar nu je er toch bent kun jij maar beter meteen mee doorlopen naar boven. Kim moet echt naar bed, ze is gewoon chagrijnig!'

Aïsha glimlachte. 'Dat klinkt raar. Zo'n klein kindje en dan chagrijnig.'

'Nou, pas maar op,' zei Nikki's moeder waarschuwend. 'Ze kan echt een klein draakje zijn als ze haar zin niet krijgt, en helemáál als ze moe is. Hè, monstertje?'

Kim sputterde opnieuw en Nikki's moeder trok een zie-je-wel-gezicht. 'Breng haar maar naar boven, Aïsha. Lukt dat?'

Aïsha knikte. Wat leuk dat Nikki's moeder haar zo vertrouwde.

Op de bank zaten Kees en Nikki samen over de telefoon gebogen. 'Ik breng Kim naar bed,' kondigde Aïsha aan. Ze keken allebei op, gaven een kushandje en zwaaiden voordat Aïsha met Kim de kamer verliet.

Met Nikki's kleine zusje op haar arm liep Aïsha naar boven. Hmmm. Rechts was de kamer van Nikki. Hoe vaak ze daar niet hadden gezeten! En links, met dat grote verkeersbord op de deur, dat was de kamer van Viggo. Ze ging het kamertje van Kim in, die knorrende geluidjes maakte bij het zien van haar bed en de knuffels die al op haar zaten te wachten.

'Daar ga je dan,' zei Aïsha en ze gaf Kim een kusje op haar warme hoofdje. 'Lekker slapen en welterusten.' Ze tilde het kleine meisje over de spijltjes heen en legde haar neer. Kim greep haar knuffelkonijn, stak haar duim in haar mond en kroop meteen in elkaar.

'Mam, heb je mijn...' Aïsha hoorde een deur opengaan en Viggo stormde Kims kamer in, alleen gekleed in een strakke spijkerbroek. Zijn krullen stonden woest alle kanten uit en hij hield een verfrommeld T-shirt in zijn handen.

'O. Ben jij het!' zei hij, voor de tweede keer die avond.

Aïsha staarde hem met grote ogen aan. Ze kon haar blik niet van hem afnemen. Haar ogen gleden van zijn knappe gezicht naar omlaag, naar zijn schouders, de pezige lijnen van zijn armen, gespierde borst, de ribbeltjes in zijn buik...

'Wat sta jij te staren?' Opeens zette hij een stap opzij en duwde op de lichtschakelaar waardoor Aïsha plots in het halfduister stond en ze alleen nog zijn silhouet in de deuropening zag, van achteren verlicht door de lamp op de gang. Aïsha voelde het bloed naar haar wangen schieten.

Hij zette een paar passen naar haar toe, het kamertje van Kim in. 'Wat is er, kleine Aïsha?' zei hij plagerig. 'Niet gewend aan een halfnaakte kerel?'

Wat was dat nou? Aïsha kreeg een droge mond en deed een stapje achteruit.

'Tong verloren, kleintje?' ging Viggo door.

Aïsha hoorde het bloed door haar oren suizen. Hij kwam nog dichterbij en Aïsha deed een pasje achteruit. Met een dof bonkje liep ze tegen het bedje van Kim aan. Ze kon niet verder naar achteren. Viggo kwam nog wat meer op haar af. In het licht dat van de gang naar binnen viel, glansde zijn huid alsof er een laagje op gespoten was. Hij was zo dichtbij dat Aïsha zijn geur kon ruiken. Ze kon geen adem halen, durfde het niet eens.

'Zeg het eens, kleine Aïsha... mag jij wel een Nederlandse jongen zoenen van je ouders? Vindt je opa dat wel goed?'

Het leek wel of Aïsha niet meer op haar benen kon staan. Ze kon in het halfduister alleen de contouren van zijn gezicht onderscheiden, maar nog nooit was ze zich zó bewust geweest van iemand zo dicht bij haar. Wat gebeurde er? Ging hij haar zoenen? Er kon geen handbreedte meer tussen Viggo en haar. Hij boog zich naar voren, raakte met de achterkant van zijn wijsvinger heel licht haar haren aan en boog zich toen naar voren...

...om Kim een kus te geven.

Bijna duizelig van verwarring knipperde Aïsha met haar ogen. Daar stond ze dan, totaal voor gek! Ze had verwacht dat hij haar zou zoenen maar hij was alleen maar binnengekomen om zijn kleine zusje een nachtzoen te geven en... Een golf van teleurstelling spoelde over haar heen. Hij... hij... hij had haar gewoon op het verkeerde been gezet, gespeeld met haar, gespot met...

En opeens zoende hij haar. Niet snel, niet langzaam, maar wel onverwacht. Zijn lippen raakten de hare toen ze er het minst op bedacht was en zijn tong gleed heel even langs haar onderlip. Net zo plots als hij haar had gekust, deed hij ook weer een stap terug. Een tel keek hij haar aan. Aïsha stond verdwaasd tegen het bedje en zag nog net Viggo's blik voordat hij zich omdraaide en fluitend naar zijn kamer terugliep.

Haar hoofd tolde. Hij had haar gezoend! Viggo! Viggo had haar gezoend! Ze had het heel warm en haar handpalmen werden klam. Wat had dat te betekenen? En ze dacht nog wel dat hij haar niet eens zag staan! De deur achter het verkeersbord ging niet meer open en pas toen de bel ging en ze de stem van Moniek hoorde, kwam ze weer een beetje bij haar positieven. Beneden deed Nikki de deur open. Ze moest eens weten wat haar broer net gedaan had! Het huis zou te klein zijn. Aïsha's wangen gloeiden als vuur.

'Aïsh? Lukt het?' werd er zacht van beneden geroepen.

'Ja,' perste ze er met een schorre stem uit. 'Ik kom eraan.' Ze haalde een keer diep adem, veegde haar klamme handen af aan haar truitje en liep de trap af. Haar hart bonkte harder dan haar schoenen op de trap. Ze kon het nog niet geloven. Zou hij...? Verkering...? Maar hij had toch een oogje op Moniek? Dat was bepaald geen geheim.

Ze zag Moniek achter Nikki de kamer in lopen, hoorde Kees iets zeggen over een schoon overhemd en het volgende moment botste die pardoes tegen haar op toen hij de huiskamer uitsnelde. Vlug greep hij haar bij haar elleboog voordat ze achterover de gang in zou tuimelen.

'Ho! Nog een schone deerne!' riep Kees vrolijk uit en hij maakte een hoffelijk gebaar naar binnen. 'Gaat uw gang, dame!'

Met een kleur op haar wangen kwam Aïsha naast Moniek staan. Die glimlachte. 'Kijk niet zo benauwd,' fluisterde ze geamuseerd. Ze moest eens weten! Ze dacht natuurlijk dat het kwam door Kees dat Aïsha zo'n kleur had...

'En? Alles rustig boven?' informeerde Nikki's moeder.

Aïsha schrok. 'Wat zegt u?' vroeg ze.

'Aïsh, het is Kees maar!' lachte Nikki. 'Kijk niet zo opgelaten, joh!'

'Zit dat arme meisje niet te plagen,' zei Nikki's moeder en ze gaf Aïsha een knipoogje. 'Kees kan nogal overrompelend overkomen en niet iedereen is daaraan gewend. Geen probleem met Kim, Aïsha?'

Met een dankbaar glimlachje schudde Aïsha haar hoofd. 'Nee, ze ging lekker liggen,' zei ze snel.

Moniek wees naar de mobiel waar Nikki nu mee liep te klungelen. 'Is dat een reserve?'

'Ja, een oudje van Kees. Maar zo kan ik tenminste nog bellen. En jullie mij als je vanavond niet meer weet wat je moet doen omdat het hier compleet uit de hand loopt!' Nikki lachte breed en zwiepte haar sluike haren uit haar gezicht. Nikki's moeder ging naar boven om nog de laatste hand te leggen aan haar make-up en in een paar zinnen bracht Nikki haar twee vriendinnen op de hoogte. Over hoe haar moeder had gereageerd, en dat Kees meteen had gezegd dat het wel in orde zou komen...

'Het ergste vind ik,' zei Nikki, 'dat het net is of mam mij niet gelooft.'

'Je had het eens moeten zien,' zei Moniek tegen Aïsha. 'Nuyts werd echt he-le-maal gek. Ze draaide compleet door. Weet je dat ze eruitzag of ze Nikki een klap zou gaan geven?'

'Heb je dat gezegd?' vroeg Aïsha.

'Watte?' Nikki begreep niet wat Aïsha bedoelde.

'Tegen je moeder. Wat Mo net zei.'

De deur vloog open en met een kleine weekendtas losjes over zijn schouder stapte Viggo binnen. De weekendtas liet hij met een opzettelijke plof op de grond neerkomen. Hij had een lichtgrijs shirt aan, een vest en de vaalste broek die er maar in zijn klerenkast lag, zo vermoedde Aïsha. Er speelde een klein lachje om zijn lippen. 'Dag Babysit Babes. Wie zijn er eigenlijk de baby's?'

'Ha ha. Wat ben je toch weer leuk!' snauwde Nikki meteen.

Viggo liet een lome blik van zijn zus naar Moniek gaan en knikte. 'Hallo, Moniek. Leuk haar.'

'Dank je,' zei Moniek eenvoudig.

Aïsha durfde Viggo niet aan te kijken. Ongemakkelijk keek ze weg en draaide afwezig aan haar ringen.

‘Kom mee naar boven. Ik moet nog wat dingetjes pakken om mee te nemen,’ zei Nikki.

‘Stil doen boven, Kim slaapt al, ik heb net gekeken. Je weet wel welke kamer dat is, hè Moniek?’

‘Ja hoor, Viggo, dat weet ik. En mocht ik me vergissen…’ be-

gon Moniek.

‘Dan kan Aïsha je wel vertellen waar het is,’ onderbrak Viggo haar. Weer die grijns. Even flitste Aïsha’s blik van haar schoenen naar Viggo. Ze voelde dat ze opnieuw een kleur kreeg en dook zo diep mogelijk weg.

‘Wat een ultra-tevreden smoel trek je toch.’ Nikki kneep haar ogen een beetje samen. ‘Wat heb je nou weer uitgespookt?’

‘Helemaal niks, zusje. Je hoeft niet zo achterdochtig te zijn,’ zei Viggo. Hij ging met zijn duim bedachtzaam over zijn onderlip, haalde toen zijn schouders op en pakte de afstandsbediening van de tv. ‘Nietwaar, Moniek? Zeg maar tegen mijn zus dat ze eens wat liever moet doen.’

‘Ja, duh!’ Nikki trok de twee anderen mee naar boven, naar haar kamer. ‘Dat heeft-ie de laatste tijd wel vaker. Net of-ie het doet om mij te jennen. Een beetje zo’n gezicht opzetten van kijk-eens-hoe-geweldig-ik-ben… bah.’ Ze propte twee T-shirts in een weekendtasje en zocht wat make-up en sieraden bij elkaar.

Moniek keek Aïsha aan en rolde veelbetekenend met haar ogen. Aïsha begreep wat ze bedoelde: altijd en eeuwig strijd tussen die twee. Toen zag ze zichzelf in de spiegel die in Nikki’s kamer aan de muur hing. O, man! Wat zag ze er raar uit. De rode wangen van net waren nog steeds niet verdwenen en het leek wel of haar ogen een beetje schitterden. Ze had iets koortsachtigs over zich. Ze schrok toen ze zag dat Moniek haar nauwlettend aankeek in dezelfde spiegel.

'Alles goed?' vroeg Moniek zachtjes toen Nikki even naar de badkamer was. 'Je ziet er een beetje raar uit.'

Haastig zette Aïsha een stap naar achteren, stapte op een gymp van Nikki die op de grond lag en viel bijna achterover op Nikki's bed.

'Sorry!' riep ze toen de weekendtas van Nikki van het bed gleed en op de grond viel. 'Ik... alles is goed hoor... ik heb gewoon een beetje last van hoofdpijn...' Het kwam er veel te haastig uit.

'Hoofdpijn?'

'Ja, dat is alles. Ik heb gewoon opeens hoofdpijn.'

Moniek bewoog zich niet. Ze keek Aïsha alleen heel doordringend aan en Aïsha wist dat Moniek haar niet geloofde. Hoofdpijn. Ja ja.

'Aïsh, is er iets thuis? Waarom vertel je het niet?'

Met zenuwachtige bewegingen zette Aïsha snel de weekendtas terug op het bed en schoof de T-shirts, die er half uit hingen, weer terug. 'Er is niks, Mo. Echt niet.'

'Echt niet?'

'Echt niet. Ik ben net ongesteld geworden, daarom heb ik hoofdpijn. Dat zal het wel zijn.'

'Wie heeft er hoofdpijn?' Daar kwam het hoofd van Viggo om de deur. Daar was hij weer! 'Ongesteld? Huh. Vies woord. Meiden ook altijd.' Hij gaf Aïsha een dikke knipoog. Ze keek hem verschrikt aan.

'Zout je nou eens op?' riep Nikki en ze gooide een stelletje opgerolde sokken naar haar broer. Die ontweek ze niet, maar kopte ze behendig weg waardoor er eentje in Aïsha's handen terechtkwam. Het andere sokkenrolletje viel op de grond.

'Sssh, zo maak je Kim wakker!' zei hij. 'Je hebt mijn Duitse woordenboek nog.' Met zijn armen over elkaar geslagen leunde Viggo nonchalant tegen de deurpost terwijl Nikki een stapel boeken van haar bureau griste en die geïrriteerd in zijn handen duwde. 'Hier. En wil je ons nu met rust laten, ALSJE-BLIEFT?'

'Al goed, rustig maar,' zei Viggo en hij draaide zich kalm om.

Snel duwde Nikki de deur achter hem dicht en draaide de sleutel om. Ze plofte neer op bed.

Aïsha voelde zich zo opgelaten dat ze het liefst nu de deur uit was gelopen en meteen door naar huis was gerend om daar haar hoofd onder de dekens te verstoppen. In plaats daarvan friemelde ze aan een los draadje van de sok die ze in haar handen had en probeerde die trage, spottende knipoog van Viggo te verwerken. Wat was het nou? Speelde hij alleen maar met haar gevoelens of vond hij haar echt leuk? Hoe hield ze dit verborgen?

Nikki keek Moniek aan, die op haar lip beet om niet te lachen. 'Wat nou?'

'Jij! Je laat je zo uit de tent lokken. Láát hem toch, dan is de lol er voor hem zo af.' Moniek ging op de bureaustoel zitten en Aïsha liet zich naast Nikki op het bed zakken. Ze boog zich onder het bed, waar het andere bolletje sokken heen was gerold toen ze het had laten vallen.

'Wat is dat voor een oppasadres waar je morgen zit?' vroeg Moniek. 'Weet je er al iets meer van?'

Nikki pakte een leesboek en een paar tijdschriften en stopte ze bij de rest van de spullen in haar tas. De oplader van haar mp3-speler er nog bij, huiswerk in haar schooltas en een paar All Stars onderin en ze was klaar. Met een zwiep ritste ze de tas dicht.

'Ja, het zijn kennissen van mijn vader. Ze hebben vier kinderen, wonen een paar huizen verder, pa en moe gaan naar de schouwburg. Aïsh, wat doe je?'

'Je sokken pakken. Vier kinderen. Toe maar.' Aïsha kwam met een rood hoofd onder het bed vandaan en trok een vies gezicht bij het zien van een vlok stof die aan de rood-wit gestreepte sokken was blijven hangen. 'Je mag wel eens stofzuigen.'

'Vier kinderen. De jongste is drie maanden, de oudste zeven jaar. Die oudste twee heb ik wel eens gezien. Volgens mij is het geen groot probleem.'

Aïsha dacht aan de puinhoop en de schreeuwende Ted in het huis van Philip.

'Wij zijn thuis ook met z'n vieren,' zei Moniek. Ze ging met een hand door haar geknipte haren en keek naar de piepkleine haartjes die op haar handpalm achterbleven. 'Mijn oma en opa pasten op toen we kleiner waren. Volgens mij was Koert wel een kleine rotzak. Stopte kauwgum in de schoen van een meisje dat bij ons kwam oppassen en daarna is ze nooit meer geweest.'

'Ik zal mijn schoenen niet uit het oog verliezen,' zei Nikki droogjes. 'Ik maak ze gewoon vanaf het begin duidelijk wie er de baas is.'

'Lijkt me een strak plan,' knikte Aïsha. 'Hoe laat komt je vader jullie halen?'

'Niet. Kees en mam zetten ons af, ze moeten daar ergens in de buurt zijn. Dus we zullen wel zo vertrekken.'

Er kwam een klopje op de deur. 'Nikki, het is tijd om te gaan,' kwam de zachte stem van Nikki's moeder van de gang. De meiden kwamen overeind.

'Wat gek,' mompelde Nikki, die achter Moniek aan de trap af liep. 'Jullie blijven hier om op mijn zusje te passen en ik ga naar mijn vader om daar bij iemand uit de straat op te passen.'

Moniek knikte. 'Je haalt me de woorden uit de mond.'

Aïsha zei niets. Het was alsof er zaagsel in haar mond zat.

Viggo stond klaar in de gang, zijn jas aan en zijn weekendtas losjes over zijn schouder. Hij glimlachte een keertje, draaide zich om en liep op zijn gemak de voordeur uit. 'Dag Moniek,' zei hij. Hij knikte alleen een keertje naar Aïsha en liet haar daarmee opzettelijk verward achter in het halletje.

Een zacht klopje op het raam kondigde aan dat Lisa voor de deur stond. Moniek en Aïsha zaten net samen naar *Ten things I hate about you* te kijken, hoewel Aïsha er met haar gedachten niet bij was. Ze kon niet ophouden met denken aan Viggo en de zoen.

'Daar heb je Lisa,' zei Moniek.

'Wacht maar, ik ga wel.' Aïsha ging opendoen en Lisa stapte binnen.

'Hoi,' zei ze zacht, om Kim niet wakker te maken. 'Wat een pokkenweer.' Vlug duwde ze de voordeur achter zich dicht en hing haar vochtige jas aan de kapstok. 'Gelukkig konden mam en ik met de bus, anders waren we zeiknat geworden. Brr!' Ze huiverde een keer.

'Hoe was het in de stad? Nog iets gekocht?'

Lisa knikte. 'Nieuwe jas, spijkerbroek en een truitje gekregen. Zien?'

Binnen liet ze haar nieuwste aanwinsten zien.

'Héé, die is leuk!' zeiden Aïsha en Moniek in koor. Het was een zwart shirtje met knalroze sierlijke letters. *Om te zoenen* stond erop, en rondom de letters zaten kleine pailletjes die sprankelden als het licht erop viel.

'Ja, leuk hè?' zei Lisa tevreden. 'En ook nog nieuwe schoenen, maar die heeft mam mee naar huis genomen.' Ze stopte de kleren terug in de tasjes.

'Ben je nog wat wezen drinken bij Het Bestekje?' vroeg Moniek. 'Chocolademelk met slagroom, misschien?'

Lisa grinnikte. 'Nee. Mam heeft daar nooit zin in, die wil altijd opschieten. Maar we zijn er wel langs gekomen. Die sukkel heb ik niet meer gezien. Maar Merel wel en ze zag mij en zwaaide.'

Merel en haar man Jo waren de uitbaters van een gezellig café-restaurant in het centrum van Eindhoven, met wie Lisa een tijdje geleden kennis had gemaakt. Nadat ene Jurgen, een onhandige ober, een beker chocolademelk over Lisa's schoot had laten vallen, waren Merel en Jo erg vriendelijk geweest en hadden Lisa een broek en een shirt van hun zoon te leen gegeven zodat ze niet in kletsnatte kleren naar huis hoefde te fietsen. Die ober hadden ze daarna niet meer gezien, maar Lisa was een paar dagen later nog teruggegaan om haar eigen schoongewassen spullen weer in ontvangst te nemen en de geleende kleren terug te geven.

Lisa plofte naast Aïsha op de bank en dook meteen voorover omdat haar tas omviel en de inhoud eruit rolde.

'Heb je hem nou gezien, die jongen van wie je de kleren toen aanhad? Dat was toch een zoon?' vroeg Aïsha.

Lisa graaide onder de bank. 'Mijn mascara... ik kan er niet bij... hebbes!' Met een rood hoofd kwam ze overeind en keek toen naar het bevroren tv-beeld. 'Wat staat erop? O, *Ten Things*, leuk. Die heb ik al een paar keer gezien, maar hij blijft leuk. Zonde toch dat Heath er niet meer is.' Ze ging weer zitten. 'Zet maar weer aan.'

De film was leuk. Heath Ledger zong op de trappen van een sporttribune voor zijn geliefde Julia Styles, die zo stug mogelijk deed. Aïsha miste soms wat omdat ze afdwaalde en merkte best dat Moniek haar af en toe bespiedde. Ze bleef maar denken aan Viggo. In de film kusten Heath en Julia elkaar. Aïsha slikte. Opeens voelde ze Viggo's mond weer op de hare en hoorde ze zijn stem weer... *kleine Aïsha...*

Ze wilde terug naar boven en verzon een smoes. 'Is dat Kim? Ik hoor iets,' hoorde ze zichzelf zeggen.

'Ik hoorde niks,' zei Moniek, haar hoofd een beetje scheef. Ook Lisa haalde haar schouders op. 'Ik ook niet. Maar het kan best, hoor.'

'Ik ga wel even kijken,' zei Aïsha haastig. Ze sprong overeind.

'Dan zet ik de dvd even stil,' zei Lisa meteen en ze drukte op de pauzeknop. 'Ik lust wel iets te drinken. Zouden ze hier cola light hebben?'

Aïsha wachtte het antwoord niet af en liep vlug de kamer uit en de trap op. Ze had Kim niet echt gehoord, natuurlijk niet. Maar ze moest gewoon even hierheen, even naar de plek waar het net was gebeurd. Het leek wel een film!

Omdat ze van zichzelf eerst moest kijken hoe het met Kim was, sloop Aïsha haar kamertje binnen. Kim lag prinsheerlijk te slapen en merkte niet dat Aïsha bij haar bedje stond. Aïsha haalde diep adem en liep naar de kamer van Viggo – de deur stond op een kier. Het was er koud en rommelig. Het raam stond een stukje open, waardoor Aïsha het voelde trekken langs haar benen. Zijn bed was onopgemaakt, schoongewassen kleren lagen in een stapel op zijn bureaustoel en schoenen en sokken slingerden door de kamer.

Aarzelend zette ze een stap naar binnen. Wat voor spullen

had hij? Aan de muur hingen voetbalposters van PSV en het Nederlands elftal, en boven het bureau hing een enorme plaat van Keira Knightly die verleidelijk naar de camera lachte. Op het bureau stond een dichtgeklapte laptop, te midden van schoolboeken, cd-doosjes en spelletjes voor de Xbox. In een rek naast de kledingkast lagen een paar uit elkaar gehaalde mobiele telefoons en onderdelen van een oude radio of zoiets. Nikki had wel eens gezegd dat Viggo techniek interessant vond en dat hij graag knutselde en dingen repareerde. Misschien was dit wel zo'n project. Haar vingers gleden over de printplaatjes, kabeltjes en stekkertjes en doosjes vol onderdeeltjes die ze niet herkende. Een stapeltje tijdschriften en boeken over techniek lag ernaast.

'Aïsh!' werd er zachtjes vanaf beneden geroepen. Aïsha schrok zich wild. 'Is alles goed daarboven?'

Snel liep ze naar de overloop, blij dat Moniek, die onderaan de trap stond, haar gezicht niet goed kon zien omdat ze tegen het licht in keek.

'Het tocht hier. Er staat ergens een raam open. Een ogenblikje, ik kom eraan.' Vlug schoot ze Viggo's kamer weer in en trok het raam dicht. Het was koud – de klink was kleddernat van de regen en onder haar handen was het metaal ervan ijzig. Toen viel haar oog op een shirt van Viggo. Hij deed aan basketbal en had zo'n vet, Amerikaans shirt met een groot cijfer '3' op de voorkant. Ze griste het uit de stapel schone was, propte het onder haar vest, en liep de trap weer af. Voordat ze naar binnen ging, duwde ze het shirt snel in haar jaszak.

Een trofee. En wat voor een! Aïsha voelde haar wangen gloeien.

'Ja? Kan-ie weer?' vroeg Lisa, die een voorraad chips en borrelnootjes op tafel had gezet. Moniek en Aïsha knikten. Maar net toen Lisa op 'play' drukte, ontving ze een sms'je. Ze trok haar telefoon uit haar broekzak, las het bericht en stuurde er razendsnel een terug.

'Iemand van streetdance,' zei Lisa. Vrijwel meteen piepte haar mobiel weer: nog een berichtje. Lisa las het en mompelde: 'Sorry, ik moet even bellen. Ben zo terug.' Ze stond op en liep snel de kamer uit.

'Wat heeft die nou?' zei Moniek verbaasd en ze keek Aïsha vragend aan. 'Ze doet de laatste tijd zo geheimzinnig.'

'Geheimzinnig?' Aïsha keek van het stilstaande dvd-beeld naar Moniek.

'Ja, geheimzinnig ja. Net of er iets is waar wij niks van mogen weten. Heb jij niks gemerkt in de klas?'

'Eh...' Aïsha pijnigde haar hersens. Was er iets met Lisa aan de hand? Had Aïsha iets gezien of gehoord? Hoe ze ook haar best deed, er kwam niks raars naar boven. Alleen het shirt van Viggo dat in haar tas zat – dat leek wel een rode vlag die steeds door het beeld kwam wapperen. 'Nee,' zei ze, 'niet echt. Ik bedoel, volgens mij is er niks, hoor.'

'Mmm. Nikki vroeg ook al of ze misschien verliefd was of zo,' zei Moniek met een sceptische blik naar de gesloten kamerdeur. 'Anders gaat ze toch niet op de wc met iemand aan de telefoon hangen? Dat is dus echt niet iemand van streetdance, hè! Net of wij niet mogen weten... Ooo... wacht eens. Die jongen met die knalgele All Stars die ze van de week aanwees... die zit toch bij streetdance? Is ze op hem?'

'Kweenie.' Aïsha haalde haar schouders op. Ze zou het niet kunnen zeggen al kreeg ze er geld voor.

Lisa kwam binnen, deed net of ze Monieks vragende blik niet zag en zette de dvd weer aan. Aïsha dacht aan Viggo's kamer, het shirt in haar tas en de kus. Het leek wel of Moniek en Lisa niet eens meer bestonden, zo ver weg was ze met haar gedachten.

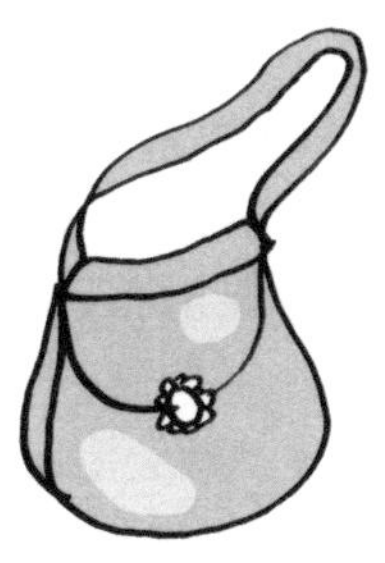

Nikki's moeder en Kees kwamen tegen twaalven thuis. Ze zagen er opgewekt uit en lachten zachtjes. Zo te zien was de avond gezellig geweest.

'Zo dames,' knikte Kees. 'Alles goed gegaan hier?'

'Prima, Kim is niet wakker geworden,' zei Moniek. Aïsha stond op en bracht de glazen en de kommetjes naar de keuken.

'Ik geef Nikki altijd twintig euro als ze 's avonds oppast, dus dat krijgen jullie nu ook. Jullie moeten het zelf maar verdelen.' Hij gaf Moniek, die het dichtste bij hem stond, een briefje van twintig.

Aïsha zag Lisa kijken. Misschien had die gedacht dat ze allemaal twintig euro zouden krijgen – af en toe leken ze hier te smijten met geld. Maar nee. Moniek stopte het geld zorgvuldig in haar portemonnee. Zij zou het verdelen en Lisa zou erbovenop zitten, dat wist Aïsha nou al. Lisa was best fel als het om geld ging. Nou ja, dat was ook wel begrijpelijk als je niet veel kreeg, maar toch... Ze moest Moniek gewoon vertrouwen. Die zou dat dik in orde maken en het nog eerder in Lisa's voordeel afronden dan het in eigen zak steken.

'Lisa, zal ik je even thuis afzetten? Het regent nog steeds.' Nikki's moeder bleef wachten met de autosleutels in haar hand. Moniek, die alleen maar de straat over hoefde te steken, kon zo naar huis lopen en dat gold ook voor Aïsha, die te voet sneller thuis was dan met de auto.

'Ik loop even met je mee, Aïsha,' zei Kees. 'Je gaat hier zeker achterom.'

Aïsha wilde protesteren en zeggen dat dat niet nodig was – het was per slot van rekening nog geen vijf minuten lopen – maar het idee dat ze niet alleen door dat donkere gangetje hoefde, vond ze toch wel fijn en ze knikte.

In de deuropening wenste Moniek iedereen welterusten en stak daarna de straat over. De wind trok aan haar jas en deed de panden flapperen.

'En wij gaan ook gauw,' zei Kees, 'dan kan Irene dadelijk Lisa wegbrengen.' Hij liep met Aïsha via de keuken en de achtertuin naar buiten. 'Jammer dat Viggo er niet is,' zei hij argeloos. Hij trok zijn kraag hoog op en dook er zo diep mogelijk in weg. De regen en de wind sloegen Aïsha en Kees in het gezicht toen ze de hoek omsloegen en het donkere gangetje tussen de huizenrijen doorliepen. 'Dan had ik een beroep gedaan op zijn ridderlijkheid. En dan had hij heel galant aangeboden om jou even naar huis te brengen. En dan was ik natuurlijk lui met mijn voeten op tafel gaan zitten en nog even de krant gaan lezen.'

Aïsha glimlachte een beetje ongemakkelijk. Ondanks het donker voelde Kees dat haarfijn aan.

'Kijk maar niet zo benauwd,' lachte hij. 'Ik zit je maar een beetje te plagen. We zijn er al. Ik ga gauw terug, want het is geen weer om buiten te blijven. Bedankt voor het oppassen, Aïsha, en tot de volgende keer.'

Aïsha zei hem gedag.

In haar tas brandde het shirt van Viggo.

De volgende ochtend kwam Aïsha's vader terug van de bakker en legde hij met een triomfantelijk gezicht een briefje met een adres en een telefoonnummer voor haar op tafel. 'Alsjeblieft. Iets nieuws voor je oppasclubje. Ik kwam net een bekende tegen van het werk en die vertelde dat ze maar geen oppas kon vinden. Dus toen vertelde ik over jou en je vriendinnen. Als je ze belt, kun je meteen een afspraak maken, want ik geloof dat ze morgenavond al iemand nodig hadden.'

Verrast keek Aïsha naar haar vader op. Hij vond het goed dat ze zelfstandig probeerde te zijn, maar de steun kwam toch voornamelijk van haar moeder, niet van hem – en dat kwam natuurlijk weer doordat hij onder de plak zat van opa.

'Wauw. Wat goed. Ik ga meteen bellen. Dank je wel!' Ze sprong op en gaf haar vader een zoen. 'Wat lief dat je ons meteen hebt gepromoot.'

Hij lachte en liep naar de keuken. Aïsha belde het nummer. Er nam een man op.

'Guzman,' bromde hij.

'Goedemorgen, met Aïsha Yilniz van de Babysit Babes. Mijn vader heeft me net verteld dat u op zoek bent naar een oppas?' Stom, ze had moeten vragen aan haar vader met wie hij gesproken had. Misschien wist die man wel nergens van...

'Ogenblik,' bromde hij en Aïsha hoorde dat de hoorn werd neergelegd en dat er stemmen klonken. Toen opeens: 'Hallo, met Meta Guzman.'

Aïsha herhaalde wat ze net gezegd had. De vrouw reageerde gelukkig meteen.

'O ja, jij bent de dochter van Goran, hè? Kun je morgenavond?'

'Ja, hoor. Om hoeveel kinderen gaat het en hoe oud zijn ze?' informeerde Aïsha beleefd.

'We hebben twee kinderen, Ekber van vijf en Sura van anderhalf.' Ekber, dat was een jongensnaam, en Sura klonk als een meisje, dacht Aïsha snel. Ze vroeg hoe lang het zou duren en vertelde wat de kosten waren. Daarna noteerde ze de gegevens op een briefje en toen ze ophing keek ze haar vader opgetogen aan.

'Gelukt. Morgenavond oppassen!'

Hij glimlachte met een mengeling van trots en tevredenheid. 'Goed zo, dat deed je keurig, hoor.'

Aïsha sms'te naar haar vriendinnen: WEER EEN ADRES ERBIJ. MORGEN OPPASSEN. 2 KIDS.

Ze kreeg bijna direct antwoord terug van Nikki: GAAT GOED. WE WRDEN WRELDBROEMD IN HEEL EINDH. Meteen kwam er weer een sms. Opnieuw van Nikki. STOMME MOBIEL. OUD MISBAKSL. Aïsha grinnikte en liep naar boven om haar schoolspullen te gaan halen. Eerst maar eens huiswerk maken, en dat deed ze nu het liefst beneden omdat het zo koud was op haar kamer. Een piepje van haar telefoon deed haar opkijken. Dat was een berichtje van Lisa. OPPASSEN OP DE TWEELING. WORD ER EINDELIJK VOOR BETAALD. GOED HE? X L.

En niet lang daarna ook bericht van Moniek. IK VOLGENDE WEEK NAAR HENSELBACH.

Dus nu waren ze écht allemaal onder de pannen! Wie had kunnen denken dat het zo snel zou gaan? Aïsha stuurde geen antwoord meer terug. Ze pakte haar tas, slingerde die over haar schouder en wilde al naar beneden lopen, maar stopte toen en trok de la van haar bureau open. Gewikkeld in een zijden sjaal lag daar het shirt van Viggo. Ze vouwde de punten open en raakte het shirt aan. De stof was soepel en zacht. Ze hoefde haar ogen maar dicht te doen en ze zag hem weer voor zich, heel dichtbij. En daarna die zoen... Aïsha had haar hoofd erover gebroken. Zou hij iets in de gaten hebben, wist hij dat ze verliefd op hem was? Maar dat kon toch niet? Ze durfde hem nauwelijks aan te kijken en als ze elkaar op school voorbijliepen, zag ze geen enkel teken van herkenning in zijn gezicht. Het was alsof ze voor hem niet bestond. En toen opeens die zoen. Had hij plotseling echt belangstelling voor haar gekregen?

En dan iets wat ook steeds aan haar knaagde – wat zou Nikki ervan zeggen als ze wist dat haar broer Aïsha gezoend had?

Aïsha had zelf geen broers of zussen en kon dus niet uit ervaring meepraten, maar ze snapte niet hoe twee mensen uit één gezin zo met elkaar om konden gaan. Soms vroeg ze zich af of er ooit wel eens een dag voorbijging dat Nikki en Viggo géén ruzie hadden... En dat terwijl Kees en Nikki's moeder wel hartstikke leuk waren met elkaar en met de kinderen.

Ze tilde het zijden pakje uit haar la en hield het shirt van Viggo tegen haar wang. Het was schoon en frisgewassen en rook naar hem. Nou ja, eigenlijk niet. Eigenlijk rook het alleen maar naar schone was, maar met een beetje fantasie dacht ze de geur van Viggo op te kunnen pikken. Ze voelde de zoen weer tintelen op haar lippen. Opeens schoot het shirtje van Lisa haar te binnen. *Om te zoenen*, stond erop. De meiden moesten eens weten... Even nog bleef Aïsha zo staan, toen borg ze het shirt weer netjes op en liep naar beneden om haar huiswerk te gaan maken.

Een jongetje met gemillimeterd haar keek haar uitdagend aan toen de deur openging. Aïsha kreeg een beetje de kriebels van haar vader. Hij mocht nu wel naar huis gaan – ze waren er toch? Maar nee, hij wilde per se mee om de familie Guzman een hand te geven. Wat een onzin. Ze hadden elkaar gisteren nog gezien in de winkel.

'Dag,' zei Aïsha tegen het jongetje. 'Jij bent zeker Ekber. Ik ben Aïsha.'

'Dat weet ik wel, hoor,' zei het jongetje op een toon van *vertel-mij-wat*.

O, dacht Aïsha, dat begint al goed. Hopeloos verwend natuurlijk, de Zoon des Huizes. Voor het jongetje nog meer kon zeggen, kwam een vrouw de gang in. Ze sprak snel in het Turks tegen Aïsha, die haar hulpeloos aankeek en haar handen omhoogstak.

'Ik spreek niet zo goed Turks, mevrouw.'

Aïsha's vader lachte zachtjes en in een snel en voor Aïsha onbegrijpelijk dialect praatten ze met elkaar. Er was iets in hun stemmen en de steelse blik die mevrouw Guzman op haar wierp, dat Aïsha een onaangenaam gevoel bezorgde. Waar hadden ze het over? Mevrouw Guzman gebaarde naar haar om verder naar binnen door te lopen. Ekber rende schreeuwend langs haar heen. Aïsha kon niet verstaan wat hij brulde, maar het klonk niet al te vriendelijk.

Binnen zat op de grond een meisje te spelen met spulletjes uit een keukentje. Ekber daverde als een olifant door haar speelgoed heen, liep zijn zus omver en ging voor in de kamer op de bank staan springen. Hij maakte er zo'n oergeluiden bij dat het woord 'gorilla' meteen in Aïsha opkwam. Het meisje, dat Sura moest zijn, begon te huilen en bleef slachtofferig tussen de pannetjes liggen. Mevrouw Guzman pakte haar op, zette haar weer neer op haar billen en praatte geanimeerd verder met Aïsha's vader. Nou, nou, alsof het jaren geleden was dat ze elkaar gezien hadden!

De deur ging open en een knappe man, netjes in het pak gestoken, kwam naar binnen. Hij snauwde iets tegen Sura, die verschrikt ophield met huilen en met een snotterig gezichtje naar haar spulletjes keek.

Aïsha voelde zich niet op haar plaats. Haar vader wilde met de Guzmans praten, dat was wel duidelijk. Hij was niet alleen maar meegefietst omdat hij haar veilig af wilde zetten in een oppasgezin.

Meneer Guzman gaf haar vader hartelijk een hand en omhelsde hem. Daarna zei hij Aïsha gedag. Hij was jonger dan ze zich aan de telefoon had voorgesteld. Niet dat dat wat uitmaakte, want het ging om de kinderen. Die Ekber, die moest ze meteen aanpakken, dat was wel duidelijk. Hij stond nog steeds te schreeuwen en sprong heen en weer op de bank, totdat hij merkte dat er niemand naar hem keek. Toen liet hij zich op zijn achterste vallen en ging met een nors gezicht voor zich uit zitten kijken.

'We gaan, Aïsha,' zei mevrouw Guzman. 'Om half twaalf zijn we ongeveer thuis. Mijn man brengt je naar huis, dat heb ik afgesproken met je vader.' Ze gebaarde naar de keuken. 'Als je iets nodig hebt, vind je het daar wel.'

‘Hoe laat moeten de kinderen naar bed?’ vroeg Aïsha. Mevrouw Guzman lachte een beetje verbaasd.
‘Hoe laat? Als ze moe zijn, natuurlijk.’
‘En waar kan ik u bereiken in geval van nood?’
Over het gezicht van mevrouw Guzman gleed een lach. ‘We zijn hier om de hoek, op nummer 47. Als je ons nodig hebt ren je maar even daarnaartoe.’ Blijkbaar was mevrouw Guzman ervan overtuigd dat problemen niet mogelijk waren, en een telefoonnummer dus niet nodig, en vond ze het genoeg om te zeggen dat ze een paar huizen verderop waren. De Guzmans en haar vader verlieten gezamenlijk het huis.

‘Dag bloemetje,’ zei haar vader en hij gaf haar een kneepje in haar schouder, ‘tot vanavond. Veel succes.’
Succes? Aïsha sloot de voordeur achter de volwassenen en liep terug naar binnen. Ekber had een barbie te pakken en trok uit alle macht aan het hoofd van de pop.
‘Stop daar eens mee, Ekber. Zo trek je de kop eraf en die barbie is vast niet van jou.’
Ekber keek haar met een brutale grijns aan en trok nog harder. Sura probeerde de barbie terug te pakken van haar broer, maar hij draaide zich van haar weg en begon tegen haar te schreeuwen. In een flits dacht Aïsha aan Ted, die ook zo had staan razen en die alleen maar afgeleid kon worden door de televisie aan te zetten.
‘Ekber! Ophouden!’ riep ze streng en ze zette de televisie aan. Vlug zapte ze tot ze iets geschikts vond en zette toen het geluid wat harder. Het lukte! Ekber was afgeleid en trok nu alleen nog maar aan de haren van de pop. Aïsha pakte de barbie van hem af en gaf hem terug aan Sura, die ook vergat om te spelen en met open mond naar de kleurige beelden op tv staarde.
Mooi zo, dacht Aïsha, uit met dat geschreeuw.
Maar dat had ze gedacht. Ekber stond een minuut of wat

zwijgend naar de tv te kijken en begon toen als een gek rondjes door de kamer te rennen terwijl hij luidkeels brulde en vliegtuiggeluiden nadeed. Daarna sprong hij op de bank en terwijl hij op en neer veerde, schreeuwde hij onophoudelijk: ‘Stommerd, jij bent stom, stommerd, jij bent stom, stommerd, jij bent stom!’

Wat Aïsha ook zei of probeerde, niets hielp. Of ze nu smeekte of dreigde, paaide met snoep of televisie of een spelletje: het maakte niet uit. Ekber bleef tekeergaan, zijn favoriete zin herhalen en was duidelijk niet van plan om het op te geven.

‘Ekber!’ schreeuwde Aïsha. ‘Hou op met dat geschreeuw!’

Op de grond zat Sura onverstoorbaar door te spelen. Zij was in ieder geval totaal niet onder de indruk van het gebrul van haar broertje en keek niet op of om. Aïsha zette een boze stap naar voren en probeerde Ekbers arm te pakken om hem van de bank af te halen, maar hij schopte naar haar en sprong opzij, een glans van rebelse opwinding in zijn ogen.

‘Kleine rotzak,’ siste Aïsha woedend. Ze wreef over haar bovenbeen waar hij haar geraakt had. Het was niet hard aangekomen en deed geen pijn, maar ze schrok van wat dat joch allemaal probeerde. Ze pakte Sura op en liep de kamer uit en de gang in. Daar ging ze op de trap zitten, pakte haar mobiel en belde Lisa. Met twee van die ADHD-broertjes had Lisa vast wel een advies.

‘Ik heb hier Bokito in huis en ik krijg ’m niet stil.’ Ze hield de mobiel omhoog om het geschreeuw van binnen te laten horen.

‘Ja, dat hoor ik! Alweer? Hoe krijg je ze zo uitgezocht! Tv?’ raadde Lisa aan.

‘Heb ik meteen geprobeerd, maar dat werkt niet.’

‘Dan moet je iets bedenken wat hij leuk vindt of graag wil.’

Hij vindt het leuk om aandacht te trekken, dacht Aïsha

wrang en ze trok Sura wat hoger op schoot. Binnen hoorde ze Ekber nog meer oergeluiden produceren, begeleid door het ritmische gebonk van het gespring op de bank. Ze had gehoopt dat Ekber zou stoppen nu zijn 'publiek' er niet meer was, maar hij gaf het nog niet op.

'Eén ding is zeker: verlies hem niet uit het oog. Als hij een gat in z'n hoofd valt omdat jij uit pure wanhoop naar de gang bent gevlucht, krijg jíj op je kop.'

'Yeah right,' zuchtte Aïsha. Niks aan te doen. Terug naar binnen dan maar. Het zou wel eens een hele lange avond kunnen worden...

Sura leek zich niets aan te trekken van het geschreeuw van Ekber en dus zette Aïsha haar in de box, wat ze ook best vond. Ekber, die moest aangepakt worden.

'Jij bent stom. Jij bent stom. Stommerd, stommerd!' schreeuwde Ekber opgewekt.

'Kom van die bank af,' zei Aïsha streng. 'En doe normaal.'

'Stommerd! Stommerd!'

'Hou daarmee op! Zullen we tv-kijken?' Ze kwam haast niet over zijn geschreeuw heen. 'Ekber? Wat vind je leuk op tv?' Ze zette de tv aan, zapte snel de zenders door en zag niets wat ze de moeite waard vond. Niet dat het wat uitmaakte. Ekber ging onophoudelijk verder met zijn gedrag. Hij schopte uitdagend tegen de tafel.

'Nou, als jij geen tv wilt kijken, dan wil ik het wél,' zei ze scherp tegen hem. 'Dus zet ik gewoon lekker TMF op.'

Hij graaide naar de afstandsbediening maar die wist Aïsha net voor zijn neus weg te kapen. Ze ging op de andere bank zitten, met een half oog op Sura in de box, en gluurde naar Ekber. Ging het werken? Ze deed net of ze geen aandacht meer aan hem besteedde. Het was om gestoord van te worden – de hele tijd springen en schreeuwen... Opeens vloog hij met een boog van de bank en smakte op de grond. Hij kwam met een harde bonk neer, uit het zicht achter de salontafel en Aïsha's hart sloeg een slagje over. Ze vloog overeind. Dat ging veel te hard! Hij had toch niks gebroken of zo...?

'Ekber? Heb je je pijn gedaan? Ekber?'

Boven het tafelblad kwamen de donkere ogen van Ekber tevoorschijn en daaronder grijnsde hij een uitdagend, boosaardig lachje. Met hernieuwde energie stortte hij zich op de bank, maar nu op die waar Aïsha net had gezeten en begon van voren af aan met zijn geschreeuw: 'Stommerd! Jij bent stom! Stom kind!'

'Ekber...'

'Stom!'

Hoe was het mogelijk! Aïsha voelde haar geduld in rap tempo afbrokkelen. Waarom deed die snotaap zo? Zij had toch niks gedaan? En dat geschreeuw was om gek van te worden.

'Stomme trut! Stomme trut!' zong Ekber op de maat van zijn gespring.

Opeens had ze er schoon genoeg van. Plotseling greep ze hem bij zijn pols en schreeuwde: 'En nu is het genoeg! Ophouden, en héél snel.'

Ekber verstijfde. Net als Ted eerder, was hij even van zijn stuk gebracht – toen begon hij vreselijk te huilen. Krijsen, kon je het beter noemen. O nee! Dat was ook niet de bedoeling. Hij was nog erger dan Ted! Die had ze tenminste nog stil gekregen. Geschrokken liet ze zijn pols los.

'Ekber, hou op! Je maakt jezelf helemaal overstuur!' riep ze.

Maar Ekber was niet van plan te stoppen. Hij was ondertussen zo van slag dat hij niet meer zijn favoriete stopwoordje kon schreeuwen maar alleen maar kon worstelen tussen lucht happen en gierende uithalen produceren. Hij werd knalrood en begon te hoesten. Aïsha probeerde hem te bedaren door op zijn rug te kloppen, maar het ging van kwaad tot erger. Hij werd woedend van haar hand op zijn rug en sloeg naar haar alsof ze een gevaarlijk insect was. En alsof dat nog niet genoeg was, ging toen ook de bel nog!

Aïsha sprong overeind, holde naar de voordeur en trok hem snel open.

'Hallo,' zei een jongen van haar leeftijd. 'Is dat Ekber die zo schreeuwt?'

O, heel fijn! Een klager! Of ze dat schreeuwende kind even zijn kop wilde laten houden. Of... erger: dacht iemand in de buurt dat zij de zoon des huizes mishandelde!

'Eh...' Er klonk een bonk en het gekrijs werd heel even onderbroken en ging daarna twee keer zo hard verder, als dat al mogelijk was. Wat was dat? *Verlies hem niet uit het oog.* Net maakte hij ook al zo'n smak, maar toen deed hij het met opzet! Wat als hij nu...

'Ekber!' Aïsha vergat de jongen die voor de deur stond, draaide zich met een ruk om, rende terug de gang door en stoof de kamer in. 'Ekber! Wat is...'

Ekber lag op de grond, trappelend van woede met een onderhand paars aangelopen gezicht. Tussen klontjes aarde en kleikorrels lag een forse kamerplant omgevallen op de grond. In een oogopslag zag Aïsha dat Ekber niets mankeerde, tenzij hij achter op zijn hoofd was gevallen en daar een dikke buil zat. Haar ongerustheid verdween om direct plaats te maken voor woede. Ekber had die plant omgetrokken! Hield dat rotjoch nou nog niet op?

'Hé, Ekber!' De jongen die net had aangebeld was Aïsha gevolgd en stapte de kamer in. Het effect van zijn stem was verbluffend. Ekber hield op met schreeuwen alsof er een knopje omgezet was. Hij keek naar de jongen, ging toen heel vlug zitten en sloeg zijn armen over elkaar. Een klein boos jongetje van vijf jaar.

'Oom Hasad.'

'Ik kon je bij ons thuis horen. Maar nu heb je genoeg geschreeuwd. Afgelopen.' De jongen, die oom Hasad werd genoemd, trok Ekber van de grond en ging met hem samen op de bank zitten. Toen keek hij naar Aïsha en stak zijn hand uit. 'Ik ben Hasad.'

Aïsha wist niet wat ze moest doen. Stom! Waarom had ze niet eerst de voordeur dichtgedaan voor ze teruggerend was naar de kamer? Omdat ik dacht dat Ekber zich bezeerde, dacht ze er bitter achteraan. Dat was alleen maar loos alarm. Wat moest ze nou met die Hasad doen? Hoe moest ze die de deur weer uitkrijgen?

'Eh... bedankt voor je hulp. Ik red het verder wel.' Ze nam zijn hand niet aan en wreef ongemakkelijk met haar handen over haar broek.

'Weet je dat zeker?' vroeg Hasad een beetje spottend. 'Want het klonk niet echt alsof je het allemaal onder controle had.'

'Zij is stom,' ging Ekber weer verder, maar nu drukte Hasad zijn vinger tegen Ekbers wang en zei kil: 'Ophouden, anders zwaait er wat. Duidelijk?'

Aïsha had ongeveer hetzelfde gezegd en dat had op Ekber geen enkele indruk gemaakt, maar nu werkte het wel. Ekber keek hem nog een paar tellen aan, met smalle samengeknepen lipjes, en koos toen eieren voor zijn geld.

'Meiden zijn meiden, zo is het nou eenmaal, maatje,' zei Hasad sussend. 'Wil je mijn spierballen zien?' Hij voegde de daad bij het woord, trok zijn jack uit en spande zijn biceps. Ekber keek er met grote ogen naar.

'Laat dic van jou ccns zicn.' Ekbcr trok mctccn zijn mouw omhoog en stak zijn armpjes in de lucht als een heuse Action Man. Van Bokito naar Rambo, dacht Aïsha een beetje korzelig. En die Hasad moedigt het nog aan ook. Hij keek naar haar op, zelfverzekerd ook al moest hij omhoogkijken omdat zij stond en hij zat, en zei: 'Je hebt nog niet gezegd hoe je heet.'

‘Aïsha Yilniz. Luister, het is fijn dat je me geholpen hebt, maar je kunt nu wel weer gaan.’

‘Gaan? En m’n maatje Ekber alleen laten?’ Hij kneep voorzichtig in de mollige bovenarmpjes van Ekber die nog steeds zijn best deed om zijn spierballen te showen.

‘Wil je alsjeblieft gaan?’ drong Aïsha aan. Ze voelde zich helemaal niet op haar gemak met die Hasad in huis. Hij deed zo macho en als hij haar aankeek, was het net of hij haar met zijn ogen wilde uitkleden. Ze vond die Hasad een... een engerd. Anders kon ze het niet zeggen. Hij had Ekber dan wel stil gekregen, maar toch had ze liever dat hij weer vertrok. Sura, in de box, was gaan staan en jammerde een beetje.

‘Waarom?’ vroeg Hasad en tot afgrijzen van Aïsha strekte hij zijn benen en legde zijn voeten op tafel. Ekber vond het prachtig en probeerde het na te doen. ‘Ben je bang dat ik je wat doe, of zo? Ik woon een paar deuren verder en mijn oom en tante zeiden dat ik maar even moest gaan kijken.’

‘Oom en tante?’ stamelde Aïsha.

‘Meneer en mevrouw Guzman...?’ Hasad keek haar aan en vond het zo te zien grappig dat Aïsha zich steeds ongemakkelijker voelde.

‘Een paar deuren verder?’ herhaalde Aïsha. Wat? ‘Ben je gestuurd om mij te controleren?’

‘Maak je niet zo druk,’ zei Hasad ontspannen. ‘Waarom ga je niet even zitten?’

‘Ik wil niet zitten, ik wil dat je vertrekt,’ zei Aïsha. ‘Je hebt jezelf binnengelaten. Hoe weet ik dat je bent wie je zegt dat je bent?’

‘Ekber noemt me niet voor niks oom Hasad. Ik kom hier wel vaker als ze even weg moeten. Je ziet toch dat ik hier thuis ben?’

Je dóét alsof je hier thuis bent, dacht Aïsha, en dat is niet hetzelfde.

Achter haar begon Sura wat harder te protesteren. Aïsha wist opeens niet meer wat ze moest doen. Ze draaide zich om en tilde Sura uit de box. Met het kleine meisje op haar arm bleef ze voor de box staan. Ze haalde een keer diep adem. Het lijfje van Sura was warm tegen het hare en ze geeuwde. Wijs geworden van het oppassen bij Ted en Lieke wist Aïsha dat ze haar nu naar bed moest brengen voordat zij ook over de rooie zou gaan en onhandelbaar zou worden. Maar wat dan? Ze kon Ekber toch niet alleen laten met die Hasad? Hij zei wel dat hij een neef was, en Ekber kende hem zo te zien goed, maar toch...

Sura wreef met haar knuisten in haar ogen. Ze moet naar bed, dacht Aïsha en ze hakte toen de knoop door. Ekber kende Hasad goed, dat was wel duidelijk, en dat was op dit moment voldoende. Daardoor had ze wel het gevoel dat het klopte wat Hasad zei. Als ze hem weggestuurd kreeg, zou Ekber waarschijnlijk toch weer de beest gaan uithangen. Dan kon ze er nu net zo goed even gebruik van maken dat hij hier was. Welke jongen zou anders zomaar hier binnenkomen en erbij gaan zitten alsof hij hier woonde?

'Ik breng Sura even naar bed,' zei Aïsha abrupt. 'Als ik terugkom, wil ik graag dat je gaat.' Ze keek hem alleen nog maar even streng aan en liep toen vlug naar boven. Zo snel mogelijk trok ze Sura een schone luier en een pyjama aan, en legde haar in bed. Tandenpoetsen en gezicht wassen sloeg ze voor deze keer maar over. Ze probeerde haar aandacht bij Sura te houden, maar merkte dat haar handen trilden en dat ze alleen maar kon denken aan die jongen die beneden zat. Was ze nou zo verschrikkelijk stom om die twee alleen te laten? Wat als hij Ekber meenam?

'Sorry Sura, maar ik moet heel vlug terug naar Ekber,' mompelde ze. Ze gaf Sura een aai over haar wangetje en maakte dat ze beneden kwam. Daar trof ze Hasad aan, onderuitgezakt op de bank, die samen met Ekber voor de tv een zak chips soldaat maakte.

'Brainiac. Vet programma!' zei Hasad met een grijns, en Ekber echode: 'Vet programma.'

Aïsha haalde een paar keer diep adem, pakte de afstandsbediening van de tafel en zette resoluut de tv uit. 'Brainiac is niet echt iets voor kleine kinderen. Bedankt voor je hulp. Ik kan het verder wel alleen af.' Het klonk veel stoerder dan ze zich voelde. Ze was helemaal niet zo dapper en moest slikken om haar stem onder controle te houden. Haar hart bonsde in haar borst. Wat als hij weigerde?

Ekber keek een beetje verontwaardigd naar het lege beeld, maar Hasad legde de zak chips op tafel en kwam tergend langzaam overeind. 'Je hoort het, Ekber. Ik kan wel weer gaan. Zul je naar Aïsha luisteren?'

Ekber schudde nee, totdat Hasad zijn vinger opstak. Meteen knikte hij heftig ja.

'En nog wat. Als je weer gaat schreeuwen of brullen, zwaait er wat.'

Ekber stak zijn onderlip naar voren en zei zo zachtjes dat het bijna niet te horen was: 'Aïsha is niet stom.'

Hasad knikte, tevredengesteld. 'Denk erom, hè.'

Ekber knikte braaf. Aïsha was bijna met stomheid geslagen. Was die Hasad Ekber nou aan het dreigen met een pak rammel? Ze liep achter hem aan naar de voordeur. Op de mat stond hij stil en keek haar onderzoekend aan.

'Je mag me niet zo, hè?' zei hij onverwacht.

'Ik ken je niet,' zei Aïsha ontwijkend. Nee, dacht ze erachteraan, ik vind je helemaal niks, met je zelfingenomen maniertjes, de nepdiamanten in je oren en die houding van ikben-de-man-en-dus-de-baas.

'Ik vind jou... wel áárdig,' zei hij bedachtzaam.

Aïsha moest haar best doen om de deur niet in zijn gezicht

dicht te gooien. Aardig? Ze was geen schilderij dat gekeurd werd om aan de muur te hangen!

'Je hoeft niet zo lelijk te kijken,' zei Hasad. Hij had dik zwart haar dat heel kort geschoren was in zijn nek en bovenop flink krulde, en zijn wenkbrauwen waren vol en net zo donker. Toen hij zich wat naar haar toe boog kon ze de poriën in zijn gezicht zien. 'Ik doe niks, hoor.'

Je staat wel een ventje van vijf te intimideren, dacht Aïsha woedend. Kun je wel, zo'n grote knul tegen zo'n jochie? Geen wonder dat hij meteen zo zoet was. Hij is als de dood voor jou.

'Dag,' zei ze kortaf en ze deed de voordeur dicht. Ze draaide zich om en leunde er met gesloten ogen tegenaan. Wat een fiasco was dit aan het worden. Bij Ted en Lieke was het in ieder geval na een poosje van schreeuwen en huilen nog goed gekomen. En hier? Hier kwam de grote oom wel even de held uithangen. Ze onderdrukte een rilling, en die kwam niet van de kou. De gedachte dat hier iemand binnengedrongen was liet haar niet meer los. Wat als hij nou eens iets kwaads wilde? Of niet weg had willen gaan?

Ze liep terug naar binnen, waar Ekber de tv weer aangezet had en keek hoe een caravan ontplofte in een vuurwerk van rode en roze vlammen. Hij stopte chips in zijn mond. Het was haast onvoorstelbaar dat hij net nog zo had staan schreeuwen. Zijn weerstand was met de komst van Hasad gebroken en hij was blijkbaar niet van plan om de goden nog eens te verzoeken. Snel bladerde Aïsha in de tv-gids en keek wat er kwam.

'Hé Ekber, hou je van auto's?' vroeg ze en hij knikte zonder zijn blik van de tv te nemen.

'Er is een programma over auto's op. Dat is veel leuker dan dit.' Aïsha ging naast hem zitten, zette de andere zender op en samen keken ze tv. Het maakte Aïsha niet zo veel uit. Alles beter dan Brainiac! Hoe kwam die achterlijke Hasad erop!

‘Het is tijd voor bed,’ zei ze toen het programma was afgelopen. Ze zette de tv uit. Ekber had het laatste kwartier voortdurend zitten geeuwen en hij knikte zonder protesteren.

‘Komt oom Hasad nog terug?’ vroeg Ekber toen Aïsha achter hem aan de trap op liep naar boven.

‘Dat weet ik niet, hoor. Komt hij vaak?’ vroeg Aïsha.

Ekber knikte en protesteerde niet toen Aïsha zijn dekbed voor hem terugsloeg en zei dat hij zijn pyjama moest aantrekken.

‘Vind je hem stoer?’ zei ze.

‘Heel stoer,’ knikte Ekber ernstig. ‘Hij is sterk. En hij heeft spierballen. En een brommer.’

Ja, een echte macho, dacht Aïsha. Terwijl Ekber zijn tanden poetste en naar de wc ging, dacht ze na over Hasad. Ekber was opeens heel erg lief. Hij deed precies wat ze zei en het woord ‘stom’ rolde niet één keer meer over zijn lippen. Een paar minuten later lag hij in bed en nadat Aïsha hem nog een verhaaltje had verteld, vertrouwde ze erop dat hij wel vlug in slaap zou vallen.

‘En arrogant dat hij was, die Hasad!’ zei Aïsha zacht maar verontwaardigd aan de telefoon tegen Nikki. ‘Echt zo’n houding van: hier ben ik. Ik zal het wel even regelen.’

‘Ik zou denken dat je wel dolblij was toen hij Ekber stil

kreeg,' zei Nikki verbaasd. 'Ik dacht dat je die schreeuwlelijk een kleine rotzak vond.'

Aïsha moest toegeven dat ze dat ook dacht voordat Hasad was binnengekomen. Maar door Hasads manier van doen was haar afkeer van Ekber omgeslagen in bezorgdheid. Ze vond dat er iets... iets onheilspellends van hem uitging. Beter kon ze het niet onder woorden brengen.

'Nikki, het was een kwal en een engerd. Hij vond zichzelf heel geweldig. Het zou me niks verbazen als hij Ekber wel eens pijn gedaan heeft.'

'Pijn gedaan? Geslagen bedoel je?'

Aïsha keek afwezig naar de tv waarvan het geluid uitstond. De zoveelste herhaling van *Friends*. 'Weet ik veel. Maar Ekber was opeens honderdtachtig graden omgedraaid. En hij zei dat Hasad heel sterk was en zo.'

'Was hij agressief dan?' vroeg Nikki.

'Nee,' zei Aïsha langzaam. 'Dat eigenlijk niet. Maar hij had echt iets dreigends over zich toen hij tegen Ekber zei dat hij hem niet meer wilde horen schreeuwen. En Ekber was superbraaf daarna.'

'Ach, zo'n jongetje is al heel gauw onder de indruk,' wimpelde Nikki het weg. 'Viggo zegt ook wel eens tegen van die kleine snotjochies dat ze hun kop moeten houden en dan stuitert-ie een paar keer met zijn basketbal en daarna zijn ze zo mak als lammetjes.'

'Mmm. Ik weet het niet hoor,' mompelde Aïsha.

'Wat wil je eraan doen? Je kent hem nauwelijks, je kunt moeilijk tegen die familie Guzman gaan zeggen dat je denkt dat Ekber wordt mishandeld door hun stoere neef.'

Daar had Nikki gelijk in.

'Bovendien weet je toch helemaal niet of het zo is? Aïsh, hou je erbuiten. Je kunt er alleen maar problemen mee krijgen en daarbij: als je het mis hebt, krijgt die Hasad een hoop voor zijn kiezen en daar zal hij echt niet blij mee zijn.'

'Maar als hij Ekber nou wel slaat of zoiets?'

Nikki zuchtte hoorbaar. 'Maak je je niet veel te druk? Lisa belde mij en die vertelde dat jij had gezegd dat het een rotjochie was en dat hij schreeuwde als een aap. En dan komt er iemand binnen en die pakt hem aan en dan is het ook niet goed!'

'Hij deed ook vervelend, maar dan nog hoeft hij niet geslagen te worden door zo'n figuur als die Hasad!' riep Aïsha verontwaardigd uit.

'Dat wéét je niet,' riep Nikki terug. 'Dat dénk je. Dat is iets heel anders!'

Aïsha voelde zich opeens leeg en moe. Verantwoordelijkheidsgevoel was veel zwaarder dan ze had gedacht. Het drukte enorm op haar en een beetje moedeloos liet ze haar schouders zakken.

'Misschien kom je daar nooit meer,' ging Nikki verder. 'Dus dan heeft het toch geen nut om je daar nou druk om te maken. En als je wel weer een keer gevraagd wordt, dan hoor je die Ekber gewoon een beetje uit. Heb je iets gezien van blauwe plekken of zo?'

Nee, dat had ze niet. Maar daar had ze dan ook niet speciaal op gelet.

'Zet het van je af, Aïsh. Vandaag kun je er toch niets meer aan doen,' zei Nikki en daarna hingen de meiden op.

'Hoe vond je de Guzmans?' vroeg Aïsha's vader terloops terwijl hij in de keuken zijn lunchpakket klaarmaakte. Hij smeerde boterhammen, pakte een appel en gaf Aïsha er ook een.

De vorige avond had mevrouw Guzman haar betaald en daarna had meneer Guzman haar naar huis gebracht. Toen hij had gevraagd hoe het was gegaan, zei Aïsha ontwijkend dat Ekber nogal druk was geweest, maar dat hij toch lief naar bed was gegaan. Daarna vertelde ze dat er nog een bezoeker was geweest – als meneer en mevrouw Guzman hun neef inderdaad zelf hadden gestuurd, kon ze dat maar beter gewoon zeggen. Meneer Guzman had geknikt en geglimlacht.

'Heel aardige jongen. En hij is gek met Ekber en Ekber is dol op hem. We vonden dat hij wel even langs kon gaan.'

'Hij kwam zomaar binnen,' had Aïsha behoedzaam gezegd.

'Natuurlijk! Anders hadden wij hem toch niet gestuurd?' Meneer Guzman leek heel tevreden. 'Onze zoon is een lieve jongen, maar hij heeft een erg sterke persoonlijkheid en dat kan nogal overweldigend zijn. Hasad weet precies hoe hij hem moet aanpakken.'

Sterke persoonlijkheid? Een verwende snotaap die altijd zijn zin kreeg, dat was Ekber. En ja, dat wist Hasad zeker. Maar Aïsha zei niets. Ze had alleen geknikt en was blij toen ze thuis was. Haar vader had nog een hele tijd met meneer Guzman staan praten.

'Zij was heel vriendelijk,' zei Aïsha. 'Maar ik vond die meneer niet aardig.' In gedachten voegde ze er *bullebak* aan toe, maar dat hield ze wijselijk voor zich.

'Niet aardig? Hoe kom je daar nou bij?'

'Zoals hij tegen Ekber en Sura snauwde. Dat sloeg nergens op.' Aïsha had slecht geslapen. Ze had liggen woelen en geprobeerd om de storm van gedachten in haar hoofd tot bedaren te brengen, maar het was al heel laat voordat ze eindelijk in een rusteloze slaap viel. Met hoofdpijn was ze wakker geworden.

'Die jongen is nogal druk en hij moet goed aangepakt worden,' zei haar vader schouderophalend. 'Streng zijn betekent niet dat iemand niet aardig is. Vergis je daar niet in. Je ziet trouwens pips, bloemetje. Heb je niet goed geslapen?'

'Nee!' barstte Aïsha opeens los. 'Eerst schreeuwde Ekber de boel bij elkaar en toen stond opeens een neef voor de deur en die kwam zomaar binnen! Ik schrok me kapot.'

'Ach, Hasad doet toch geen vlieg kwaad? We dachten dat je het wel leuk zou vinden om eens een jongen van Turkse afkomst te ontmoeten.'

Hasad? Aïsha had zijn naam niet genoemd en met een ruk keek ze haar vader aan. In de deuropening was haar opa verschenen, die haar door zijn bril nauwkeurig opnam. Normaal gesproken zei Aïsha hem altijd beleefd goedemorgen, maar nu kreeg ze geen geluid over haar lippen. Wát zei haar vader?

Dat 'we' dachten dat ze het wel leuk zou vinden om die macho van een Hasad te ontmoeten?

'Wie is "we"?' kreeg ze er met moeite uit.

'Hasad is een goede partij, hoor.'

'Papa, wie is "we"?' In haar hoofd ketsten de beschuldigingen van links naar rechts. Haar vader wist ervan? Hij vond het goed dat die Hasad in het huis kwam waar ze op moest passen? Dan... dan wist opa het ook! Het was een vooropgezet plan! Een gearrangeerde ontmoeting! Ze moest zich aan het aanrecht vastpakken. Haar opa zei iets wat ze niet verstond.

'Hasad komt van een goede familie. De Guzmans zijn welgesteld en we zouden het fijn vinden als je hem beter leert kennen,' zei haar vader. Ontzet vroeg Aïsha zich af of hij nu vertaalde wat opa zei of dat hij zijn eigen woorden koos.

'Wie is "we"?' herhaalde ze met klem.

'Mama. En ik. En je grootvader.'

'Je liegt!' schreeuwde Aïsha opeens. 'Mama zou mij nooit zomaar naar iemand sturen om me te koppelen. Ze vindt dat ik zelf mijn vrienden moet vinden! En ik wil niet gekoppeld worden aan een Turkse jongen. En ook niet aan een Nederlandse jongen! Jij en opa hebben dit bedacht, hè? Samen met die Guzman!'

'Aïsha!' onderbrak haar opa haar opeens met bulderende stem. Ze wist niet hoeveel hij verstaan of begrepen had van wat ze zei, maar hij was woedend, dat zag ze wel. Met tranen in haar ogen propte ze de broodjes in een zak en wrong zich langs haar opa heen. Ze griste haar jas en haar tas van de kapstok en rende naar buiten.

'Aïsha! Meisje, het is voor jou het beste!' riep haar vader haar na. 'Kom nou, bloemetje. Dan praten we erover.'

Ik wil er niet over praten, wilde Aïsha gillen, maar haar keel zat dicht, verstikt door woede en tranen van onmacht. Hoe kónden ze! Ze was geen koopwaar op de markt! Ze was niet alleen woedend – ze was ook radeloos. Een bijna aan paniek grenzende golf van angst kwam over haar heen. Dit gebeurde toch niet echt? Wat nou als ze allemaal doordrukten en zij opeens aan die Hasad vastzat en ze gedwongen werd in Turkije te gaan wonen! Ze woonde hier, al heel haar leven lang! Hier had ze vrienden en vriendinnen, ze was net zo Nederlands als Goudse kaas en Delfts blauw. En ook al was ze dat niet, dan wilde ze nog niet dat er een man voor haar geregeld werd!

Ruw trok ze haar fiets uit het schuurtje, racete in het gangetje de achterbuurvrouw bijna omver en reed zo hard ze kon weg van huis. Hasad! Hoe háálden ze het in hun botte hoofden! *Een goede partij...* dat kwam beslist van haar opa. Straks ging hij nog... wat...? kamelen? ezels? gouden sieraden bieden als bruidsschat. Ze trapte bijna blind verder. Tranen prikten achter haar ogen. Haar moeder zou geen cent voor Hasad gegeven hebben. 'O mam,' fluisterde Aïsha, 'wat moet ik nou?'

Haar moeder was vanmorgen al heel vroeg vertrokken naar een congres en was vandaag niet bereikbaar als het niet heel hard nodig was. Aïsha stopte aan de kant van de weg, liet het gescheld van andere fietsers omdat ze zo acuut stilstond gelaten over zich heen gaan en stuurde haar moeder een berichtje: BEL ME ALSJEBLIEFT. XXX. Ze keek naar het knipperende symbooltje en wachtte tot ze 'bericht verzonden' in haar schermpje kreeg.

Toen fietste ze verder. Haar moeder zou uit haar vel springen over die hele Hasad-bedoening en het zou ongetwijfeld op ruzie uitlopen, dat wist Aïsha zeker, maar dit keer kon het haar niet schelen. Dit kon toch gewoon niet?

Ze was nog steeds overstuur toen ze bij school was en achter andere leerlingen aan naar het fietsenhok reed. Haar mobieltje piepte. Een sms'je. Ze griste het toestelletje uit haar jaszak. Mam? Lisa, Nikki of Moniek? Of haar vader? Maar het was geen berichtje van haar vriendinnen, en ook niet van haar ouders. Het was een berichtje van Philip Rondhout. KUN JE DINSDAG OPPASSEN, VAN 19.00-22.30 UUR? GROETEN PHILIP. PS. TED VINDT JE LIEF, MOEST IK ZEGGEN.

Die laatste paar woordjes brachten een brok in Aïsha's keel. Dat was tenminste oprecht, daar zat niets onechts aan. Ze tikte meteen bericht terug dat ze er zou zijn en sprak met zichzelf af om nooit, maar dan ook nooit meer op te gaan passen in het huis van de familie Guzman.

Daar was Nikki. Ze zette haar fiets naast die van Aïsha. 'Ha, Aïsh. Hoe was het gisteren? Is die Hasad nog teruggekomen?'

Aïsha schudde haar hoofd en slikte. Ze moest eerst haar neus snuiten en dan kijken hoe ze eruitzag. Ze wilde niet dat de anderen zouden zien dat ze gehuild had.

'Je mascara is uitgelopen,' zei Nikki en wees naar haar linkerwang. 'Mooie camouflagestreep. Werkt helaas niet op school, heb ik ook al geprobeerd en... Hé, is er iets?'

'Nee, niks,' zei Aïsha haastig.

'Heb je gehuild?' vroeg Nikki recht op de man af.

'Nee, ik bedoel, jawel, maar het is niks. Ik kreeg een vuiltje in mijn oog en het deed echt zeer en daarom zie ik er nu uit als de bruid van Frankenstein,' loog Aïsha. Ze pakte een klein tasspiegeltje uit het voorvakje van haar rugzak en fatsoeneerde zich zo goed en zo kwaad als het kon.

Nikki keek haar iets langer aan dan gewoonlijk en slingerde haar schooltas toen over haar schouder. 'Let's go.'

Krampachtig hield Aïsha die ochtend de schijn op. Ze zag dat de anderen merkten dat ze ergens mee zat, en ze hoorde haar eigen schrille lach. Moniek wilde alle details weten over het oppassen. Lisa vroeg of ze thuis hommeles had gehad. En Nikki trok nog eens vragend een wenkbrauw op.

'Laat nou maar,' zei Aïsha korzelig toen Lisa opnieuw probeerde om haar uit te horen. 'Die Hasad, die vertrouw ik niet en daar ben ik van geschrokken. Dat is alles.'

'Nou, je bent behoorlijk uit je doen,' zei Lisa.

'Lies, pliesss. Hou er nou over op.' Diep in haar hart wilde Aïsha niets liever dan erover praten, maar ze kreeg het gewoon niet gezegd. Ze schaamde zich, ook al kon ze er zelf niets aan doen. Hoe moest ze vertellen aan de meiden dat haar vader en opa een middeleeuws soort koppelingsritueel op haar hadden losgelaten?

Tijdens geschiedenis kreeg ze een sms'je. Het mobieltje verborgen houdend onder het tafelblad, las Aïsha vlug het bericht. BEL ME IN JE PAUZE. XXX MAM.

'Aïsha, aandacht erbij graag?' riep de docent, meneer Klambol vanaf het bord en hij verstoorde daarmee haar pogingen om een berichtje terug te sturen. Ze duwde het mobieltje in haar mouw. 'Wat is kenmerkend voor deze periode in India?'

India? Periode? Waar ging het over? Nerveus keek Aïsha opzij naar het boek van Lisa dat openlag op een hele andere pagina dan haar eigen geschiedenisboek. 'Eh...' Zenuwachtig probeerde ze de juiste bladzijde te vinden. 'Eh...'

'Vandaag nog, als het kan...' riep Klambol weer.

'Pagina 72,' fluisterde Lisa.

'De Britse overheersing!' riep Klambol met zijn misthoornstem. 'Dank je wel voor je aandacht en je medewerking, juffrouw Yilniz!' Met stramme stappen draaide hij zich weer naar het bord en schreef met grote letters op wat hij zojuist had gezegd. Aïsha staarde naar de afbeeldingen in het geschiedenisboek. Kolonisatie, slavernij, katoen, theeplantages... Opeens duizelde het haar en van het ene op het andere moment barstte ze in tranen uit.

Stomverbaasd liet Klambol zijn krijtje zakken. 'Nou nou. Je hoeft niet te gaan huilen. Kom kom.'

Maar Aïsha luisterde niet meer naar hem. Ze graaide haar

tas van de grond en rende het lokaal uit zonder de leraar nog één keer aan te kijken. De klas bleef verbaasd en stil achter.

Lisa pakte de spullen die Aïsha had laten liggen van de tafel, stopte haar eigen boeken weg en stond op. 'Ik ga even naar haar toe, meneer. Ik weet niet wat er aan de hand is.'

Klambol knikte stijfjes. 'Goed, terug naar de Britten. Wie gaat er níét huilen als ik een vraag stel…?'

'Je zoekt er veel te veel achter, als je het mij vraagt,' zei Moniek. Lisa, Aïsha, Nikki en zij zaten op een bankje in de frisse winterzon, weggedoken in hun warme jassen. 'Wat zei je moeder?'

Aïsha glimlachte dapper. 'Ze was woedend. Ik dacht eerst dat ze boos werd omdat ik haar lastigviel tijdens dat congres, maar ze zei dat ze met papa en opa nog een appeltje te schillen had. Als ze zulke dingen zegt, dan is het mis. En toen zei ze hetzelfde als jij: dat ik er waarschijnlijk te veel achter zoek.'

'Ik zou het ook niet leuk vinden als ik er zo ingeluisd werd,' zei Lisa.

'Nou, ik begrijp er geen reet van,' zei Nikki en ze spuugde een stukje appel met een beurse plek in de struiken. 'Aïsha mag nauwelijks bij ons thuis komen want o, o die Grote Broer van Nikki en Aïsha zouden eens één ietsepietsie klein momentje met z'n tweetjes in dezelfde ruimte kunnen verkeren – maar die Hasad en Aïsha, dat mag opeens wel?'

Lisa legde haar hand op Aïsha's arm. 'Gaat het nou weer een beetje? Klambol keek wel heel raar op.'

Aïsha knikte. Ze voelde zich een stuk opgeluchter omdat ze wist dat het niet nog een keer zou gebeuren. Althans, niet als het aan haar moeder lag.

'Ik ga daar in ieder geval niet meer oppassen. Nooit meer,' zei ze fel.

'Maar dat jongetje dan? Dat wilde je toch in de gaten houden?' Nikki kauwde op haar appel. Haar blik sprak boekdelen. Aïsha snapte wat ze bedoelde: ze had zelf gezegd dat ze Hasad niet vertrouwde bij Ekber in de buurt. Voor die Hasad was ze niet bang, niet echt. Ze geloofde niet dat hij haar wat zou doen, maar ze wist niet zeker of dat voor de kleine Ekber ook gold.

'Laat het nou eerst maar eens een tijdje zakken,' vond Moniek. 'Als ze nog eens oppas nodig hebben, zal ik wel zorgen dat jij er niet meer naartoe hoeft. Als die jongen voor de deur staat en mij daar ziet, taait-ie toch meteen weer af. Ik zal wel extra mank lopen en erbij kijken als Quasimodo.' Ze lachte opgewekt. 'Kom, de bel gaat zo, laten we maar vast weer naar binnen gaan.'

Zo langzaam als ze kon fietste Aïsha die middag alleen naar huis. Moniek en Nikki hadden nog een uur Engels, en Lisa ging weer eens naar de stad, dus die reed de andere kant op. Nog een stukje was Aïsha met wat andere klasgenoten meegefietst, maar het laatste deel reed ze alleen. Een raar gevoel van schaamte had haar bekropen. Misschien had Moniek wel gelijk en had ze veel te heftig gereageerd. Jeeminee, vanmorgen dacht ze zelfs al dat ze ontvoerd zou worden om in een of andere uithoek in Turkije te moeten wonen... Ze had zich wel een beetje laten meeslepen door het hele gedoe.

'En toch ga ik er niet meer naartoe! Ze bekijken het maar!' zei ze hardop.

'Waar ga je niet meer naartoe, kleine Aïsha?'

Viggo! Zonder dat Aïsha het merkte, had hij haar ingehaald. Nu bleef hij naast haar rijden. Ze schrok zo dat ze bijna een autospiegel raakte met haar stuur.

Hij grinnikte. 'Ho, ho. Hou het recht.'

'Sorry,' zei Aïsha snel en ze voelde dat ze een kleur kreeg. 'Ik praatte in mezelf.'

'Ja, dat had ik in de gaten. Dat deed Einstein ook, heb ik wel eens gehoord.' Op zijn gemak peddelde hij naast haar voort. 'Zeg 'ns, ga jij naar het schoolfeest?'

Schoolfeest? Daar had Aïsha werkelijk helemaal niet meer aan gedacht. Volgende maand, groot feest op school met een optreden van de schoolband en een supercoole dj.

'Eh...' Waarom kon ze in godsnaam niet één zin normaal uitspreken als ze bij Viggo in de buurt was? 'Ik denk het wel,' kreeg ze er met moeite uit.

'Je dénkt van wel?'

Aïsha voelde zich nog warmer worden. Zou hij... zou hij haar meevragen? Zij, aan de arm van Viggo? Hand in hand met Viggo? 'Ik bedoel – ik wil wel, als het mag van thuis.'

'O ja, je ouweheer is nogal een lastpak, hè? Nik heeft zoiets verteld,' zei Viggo met een knikje alsof hij het precies begreep. Zijn blonde krullen werden door de wind opzij geblazen. Hij zag er ongelooflijk knap uit.

'Nou, mijn vader valt wel mee maar mijn...'

'Weet je of Moniek ook komt?' viel Viggo haar in de rede. Hij luisterde niet eens toen ze wilde uitleggen hoe het zat. O. Moniek. Was het hem daarom te doen. Nikki zou hem natuurlijk afblaffen of uitlachen als hij zoiets vroeg, want zo ging dat tussen die twee. Daarom besloot hij om even bij kleine Aïsha te gaan informeren, want die zou hem wel een normaal antwoord geven. Ze kon het hem bijna horen denken.

'Ja,' antwoordde ze mat. 'Natuurlijk komt Moniek ook. Sorry, ik moet hier rechts. Dag.' Meteen sloeg ze af en reed een klein zijstraatje in. Ze hoefde hier helemaal niet te zijn, maar dat hoefde Viggo niet te weten. Hij had toch niet in de gaten dat zij smoor op hem was.

Ze stopte achter een hoge heg en bleef daar wachten tot ze dacht dat Viggo weg zou zijn. Het was te koud om lang te blijven staan en na een paar minuten stapte ze met tegenzin weer op de fiets. Ze wilde dat ze met Lisa kon praten en haar kon vertellen over Viggo en dat hij haar gezoend had. Maar Lisa had het de laatste tijd druk met van alles en nog wat, en het leek wel of ze elkaar steeds minder zagen. En ze kon toch moeilijk tegen Nikki zeggen dat ze verliefd was op Viggo? Om nog maar te zwijgen van Moniek, die heel duidelijk geen behoefte had aan verhalen over Viggo die achter háár aanzat. Toch?

Ze trok haar telefoon uit haar jas en belde Lisa, die meteen opnam.

'Hé Aïsh, what's up? Ben je al thuis geweest?'

'Nee, ik schuif het maar voor me uit. Ik zie er zo tegen op! Kan ik na het eten bij jou komen?' Op de achtergrond hoorde Aïsha gelach en gekletter van kopjes en bestek. 'Lies? Waar ben jij?'

'In de stad. O, wacht even, blijf even hangen...' Er klonk een hoop gerommel en gekraak en Aïsha hoorde Lisa iets zeggen dat op 'Tijm' leek, gevolgd door gelach en een jongensstem. Het klonk alsof ze bij Het Bestekje was. Moest ze nou wéér daarnaartoe? Die kleren waren toch al lang terug en haar laarsjes waren betaald en...

Opeens viel het kwartje. Lisa was verliefd. Lisa had een vriendje. Die zoon van dat stel van Het Bestekje. Van wie ze die kleren had geleend.

'Sorry Aïsh, ben je er nog?'

'Ja, hoor. Ben je met je vriendje in de stad?'

'Wat zeg je? Hoe weet je dat...' Abrupt stopte Lisa midden in haar zin. Er hing even een ongemakkelijke stilte tussen de twee vriendinnen. Toen: 'Hé Aïsha, ik wil er niet om liegen of zo. Maar het is nog maar pas en nou ja... ik moet er zelf nog zo aan wennen.'

'Is 't die jongen van Het Bestekje?' vroeg Aïsha.

'Ja. Hij heet Tijn. Ik had zijn kleren aan. Toen ik ze terug ging brengen was hij er zelf ook.' Nu Lisa eenmaal had toegegeven dat ze verkering had, kwam het er allemaal heel vlot uit en ze vertelde hoe ze elkaar hadden leren kennen en hoe hij die klunzige ober, die Jurgen op afstand had gehouden. 'Hou je het nog even voor je? Ik wil het zelf aan Mo en Nikki vertellen.'

'Goed hoor.'

'Hij is echt übercool en superlief,' kweelde Lisa en ze schoot zelf in de lach.

'Doe hem maar de groetjes. Ik vind het leuk voor je,' zei Aïsha hartelijk en daarna hingen ze op. Plots dacht ze aan het shirtje van Viggo, verborgen in de zijden sjaal in haar bureaula. Als hij erachter zou komen dat zij dat shirt meegepikt had, keek hij haar nooit ofte nimmer meer aan. Niet dat dat nog erg veel uitmaakte – dat deed hij nu in feite ook al niet. Alleen als hij iets nodig had van haar. Ze zuchtte diep.

‘Nou nou, wat een zucht, Aïsha,’ zei de achterbuurvrouw, die met een dikke jas aan het pad achter stond te vegen en het zo te zien behoorlijk warm had.

‘O, dag mevrouw Van der Stoel.’

De achterbuurvrouw rustte even uit en veegde haar gezicht af. ‘Je reed me bijna omver vanmorgen. Soms is het niet makkelijk hè, om een puber te zijn?’

Aïsha glimlachte vaag. Mevrouw Van der Stoel was altijd erg vriendelijk, maar ze bemoeide zich een beetje te veel met iedereen en Aïsha was niet echt in de stemming voor een peptalk van de achterbuurvrouw. Ze stopte voor de poort en zocht naar de sleutel in haar jaszak.

‘Af en toe een keer schoon schip maken doet wonderen,’ raadde de achterbuurvrouw haar aan en ze tikte tegen de houten steel. ‘Flink met de bezem erdoor en alle ouwe troep weggooien. Uithuilen en opnieuw beginnen.’

‘Dat zal ik doen, hoor. Dág,’ knikte Aïsha haar beleefd toe. Toen ze in de duistere schuur stond en haar tas onder de snelbinders uittrok, drong het pas door wat de achterbuurvrouw gezegd had. *Flink met de bezem erdoor en alle ouwe troep weggooien...* Dat was het. Dat wás het! Mevrouw Van der Stoel had gelijk. Hasad? Die kon haar gestolen worden. Ekber en Sura? Dat zouden de andere Babysit Babes voor haar opvangen. Haar vader en haar opa? Daar had ze haar moeder voor, die sleurde haar er wel doorheen. De troep bij Philip? Dat nam ze wel voor lief.

Wat gek. Zo’n losse opmerking van iemand die helemaal niet eens wist wat er allemaal speelde en opeens alles werd duidelijk. Van het ene op het andere moment voelde ze zich beter dan ze zich de hele dag gevoeld had.

Nou alleen Viggo nog... want die was nog steeds om te zoenen!

Ben jij ook benieuwd hoe het verdergaat met Lisa, Moniek, Nikki en Aïsha? Lees dan het volgende deel van de Babysit Babes: Slippers en laptops.

Tien Oppastips

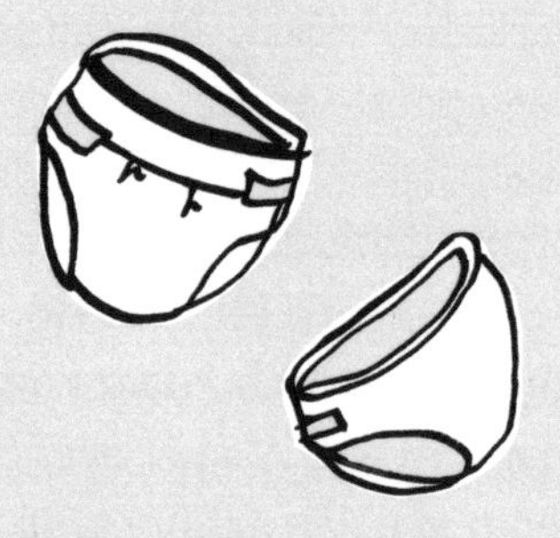

Wil je ook gaan oppassen? Met de Babysit Babes kun je vooruit! In elk deel vind je handige tips.

Hieronder: tips voor je allereerste keer.

1. De eerste indruk is altijd heel belangrijk. Geef de ouders in het oppasgezin een hand, kijk ze aan, zeg je naam nog een keer en stel eventueel je vader of moeder voor als ze even met je meekomen.
2. Vergeet bij het handen geven niet om je ook aan de kinderen voor te stellen! Voor kinderen ben je al heel groot, dus zak door je knieën en spreek de kinderen op hún ooghoogte aan.
3. Sommige kinderen zijn erg eenkennig en willen het liefst bij hun vader of moeder blijven. Forceer niets. Geef het kind de tijd om aan je te wennen. Vergeet niet dat jij voor hem ook een vreemde bent.
4. Laat je duidelijk voorlichten over wat voor eten en drinken je kind mag hebben. Voor de een is een bekertje warme melk of een glas limonade prima, een ander kind kan daar erg ziek van worden.

5. Bezighouden: als je oppaskind zich verveelt kun je een 'voorzetje' geven door zijn speelgoed te bekijken en met hem te bespreken. Vaak is dat al voldoende voor het kind om zijn interesse te wekken en je kunt je terugtrekken uit het spel zonder dat hij het merkt. Ook: iets tekenen en erbij vertellen werkt heel goed. Een simpel rondje met twee driehoekjes is een poes – omdat jij dat zegt. Kinderen vinden dat vaak prachtig.
6. Is je oppaskind zo druk dat je er wanhopig van wordt? Gaat het echt niet meer? Blijf rustig. Zet het kind dan even op de gang en zeg dat hij daar zo hard mag schreeuwen en brullen als hij wil. Als het over is kan hij weer binnenkomen. Tien tegen één dat het vlug voorbij is, want in je eentje staan schreeuwen op de gang is natuurlijk niet zo interessant meer.
7. Kinderen zoeken de grenzen, ook bij een oppas. Wees dus duidelijk: ja is ja, en nee is nee. Eén koekje? Dan blijft het ook bij één koekje, hoe moeilijk dat soms ook is.
8. Hoe laat breng je je oppaskindje naar bed? Volg de regels van de ouders. Je kunt snel merken dat kinderen moe worden: hun wangen of oren worden steeds roder, ze wrijven door hun ogen of worden hangerig. Als je op die tekenen let weet je meestal wanneer het tijd is om ze naar bed te brengen.
9. Vergeet niet om je oppaskind te laten plassen voor het slapengaan!
10. Een lichtje op de slaapkamer, de gangdeur op een kiertje open of het licht op de badkamer aan: dat zijn zo van die kleine dingen die voor kinderen erg belangrijk zijn. Vraag aan de ouders hoe zij dat doen, en laat je kind zelf de lampjes aandoen.

Meer babysit-tips in het volgende deel.

Lees meer over de Babysit Babes!

Chips en zakgeld

Om geld te verdienen beginnen Moniek, Nikki, Lisa en Aïsha hun eigen babysit-centrale: de Babysit Babes. Als snel heeft Lisa haar eerste opdracht. Maar de avond verloopt niet helemaal zo-als ze had gehoopt, en dat ze de tv niet aan krijgt, is dan nog haar kleinste probleem...

ISBN 978 90 216 6591 7

Slippers en laptops

Moniek is een kei in wiskunde. De vader van haar oppaskind vraagt haar hulp bij een programmeerprobleem. Moniek vindt hem erg knap en is gevleid dat hij haar zo serieus neemt. Maar zijn interesse lijkt niet alléén maar professioneel... Moniek raakt hiervan erg in de war, en ze durft er niet met de andere Babysit Babes over te praten.

Dit boek verschijnt in het voorjaar van 2009.

ISBN 978 90 216 6645 7

Surf naar www.babysitbabes.nl